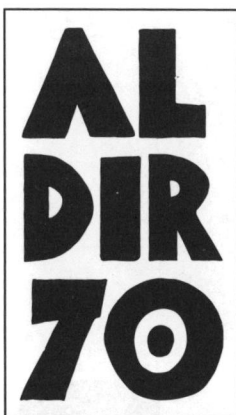

ALDIR BLANC

O gabinete do doutor Blanc

SOBRE JAZZ, LITERATURA E OUTROS IMPROVISOS

Copyright © Aldir Blanc.
Todos os direitos desta edição reservados à MV Serviços e Editora Ltda.

ILUSTRAÇÃO [CAPA]
Allan Sieber

REVISÃO
Fal Vitiello de Azevedo

CIP-BRASIL. CATALOGAÇÃO NA PUBLICAÇÃO
SINDICATO NACIONAL DOS EDITORES DE LIVROS, RJ

B571g
    Blanc, Aldir, 1946
        O gabinete do doutor Blanc: sobre jazz, literatura e outros improvisos / Aldir Blanc. - 1. ed. - Rio de Janeiro : Mórula, 2016.
        112 p. : il. ; 21 cm.   (Aldir 70 ; 2)

        ISBN 978-85-65679-46-6

        1. Crônica brasileira. I. Título.

16-37179   CDD: 869.8
                CDU: 821.134.3(81)-8

R. Teotônio Regadas, 26/904 - Lapa - Rio de Janeiro
www.morula.com.br | contato@morula.com.br

*Pra minha Suburbana, filhas, netas
e netos, bisneto e pros que vêm por aí.*

SUMÁRIO

9   Improviso em *Blanc* & preto
       PAULO ROBERTO PIRES

15   Coltrane e Mingus
17   Solo
19   Jazz
21   Gênio
23   Miles
25   O trem de Trane
27   Alguma coisa em comum com o free jazz
30   The old flame
32   Mate Kim reticências
34   Portal do jazz
36   Sem dar tempo ao tempo
38   Jazz em família
40   Banda podre é a outra
42   Cantar: a origem das tragédias
44   Variações Gould
46   Culpa e Cuba removem montanhas
48   Briga de amor, camará!
50   Guitarra em fuga
52   Talentos paradoxais
54   Benson e o turbante de abacaxi

56	Muito além do R&B
58	Charlie Haden
60	Roy "Glad" Hargrove nas cordas
62	O come-quieto
64	Sempre Sinatra
66	Cortázar – Hemingway – Jobim – Cortázar
68	Play it again, Buddy!
70	Escrever é preciso
72	Jazz branco pingando sangue
75	B.O. – Bom pra otário
77	Janelas
79	Tango
82	Concisão
84	Hammett
86	Suécia, terra de contrastes
88	Matagal no spa (ou vice-versa...)
90	Crime e castigo em Havana
92	Torando a Bora
94	Perguntas feitas na calada
97	Cem anos de cachorrada
99	O riso do povo e as melhores famílias
102	Meninos, eu vi
104	Bonus track: três vezes Kadaré

IMPROVISO EM
BLANC & PRETO

PAULO ROBERTO PIRES

NA PRIMEIRA VEZ EM QUE VI ALDIR BLANC LANÇAR UM LIVRO, ele arremessou em minha direção uma parruda edição das cartas de Philip Larkin. Lá por 1997, 98, não era incomum que uma noitada no escritório de seu apartamento na Muda terminasse assim: comovido como o diabo, sem precisar de lua ou conhaque, Aldir atirava amorosamente sobre convivas volumes de sua biblioteca, transformando-os em presentes, ainda que com risco de contusão. Ali na estante, o *Selected Letters of Philip Larkin 1940-1985* não me deixa mentir: num desses dias nasceu a ideia desse livro, mesmo que ele sequer sonhasse em ser escrito.

Pois foi naquele gabinete, fuçando as estantes, ouvindo música e bebendo Jack Daniel's, que descobri um pouco do que o doutor Blanc, médico e monstro, ouvia e lia quando não estava compondo ou escrevendo. E foi nisso que pensei quando, em 2000, na era da internet discada, imaginei que ele daria um ótimo colunista da revista virtual Notícia e Opinião, o No Ponto, onde eu era editor de cultura. Chefiados por Flávio Pinheiro e Marcos Sá Correa, tínhamos obsessão em surpreender o leitor. E, convenhamos, o que não faltou foi surpresa desde o anúncio de que Aldir Blanc escreveria não as conhecidas crônicas, mas resenhas (?) sobre os últimos lançamentos de jazz e romance policial, com eventuais incursões por outros gêneros tocados e escritos.

A interrogação entre parênteses continua valendo quando leio e releio tudo fora da ordem de publicação e, assim, constato a coerência que, em livros de crônicas ou antologias, só se percebe ao reler os textos tempos depois de serem publicados pela primeira vez. Mas, afinal, o que publicávamos semanalmente? Resenha certamente não era. Crônica? Um pouco, às vezes. Muito sofisticados para serem rotulados "conversas", demasiado informais para ganharem a etiqueta de "ensaios", esses textos são mesmo improvisos. Improvisos em *Blanc* & preto – *blanc* como dizem os franceses, que tanto fizeram para que se entendesse melhor o jazz e o policial como grande arte; preto como o romance *noir,* o rótulo do Jack e como a tarja preta, essa injustiçada.

***

"Jazz é feito paquerar a cunhada, passar a mão na mulher do amigo, beijar no elevador a colega de trabalho: começa leve, mas deixa cicatrizes profundas", escreve o Aldir. E ainda lembro quando chegou o e-mail com essa coluna, que li e reli, às gargalhadas e, logo depois, encafifado com o formato do texto, o raciocínio surpreendente. Encafifado com o jeito de Aldir, meio como quem não quer nada, escavar a memória musical da juventude e de lá voltar com uma imagem luminosa, assim como Keith Jarrett encontra, no meio daqueles longos improvisos sem rede, uma linha melódica, uma harmonia perfeita em que embarca, gemendo, num dos caminhos que se bifurcam à sua frente.

Querem ver? Eis aqui um desses achados, que começa no gênio do maior trompetista da História e leva para muito, muito longe dele: "Ninguém ouve Louis Armstrong tocar impunemente. A gente leva a vida inteira procurando aquela dose. Buscamos essa medida nas mulheres, nos copos, nos livros, na música. Louis Armstrong nos dá isso. Momentos raros. A sensação de que valeu a pena. Não faz mal que passe depressa. É só repetir a faixa".

Aldir sempre pode, no entanto, ir mais além. E continua encadeando ideias e imagens: "Um pistom diante da Esfinge, o rio de notas abrindo o cortejo fúnebre sob a chuva, o contraste entre os dentes brancos no rosto negro e o lenço manchado de sangue, tocar acima e além do cumprimento do dever, contrariar ordens médicas com olhar matreiro de avô (lembrai do vinho, não da lágrima), suor, drogas, comunhão: fazei isso em memória de mim – ou, segundo a fórmula ainda mais antiga, pra que eu esteja presente. *Again. Forever*".

Ao escrever sobre música, repete com virtuosismo uma de suas marcas de compositor, a habilidade em aproximar referências de mundos díspares, níveis diferentes de cultura, os chamados "bom" e "mau" gosto. É assim que imagina uma festa para o aniversário de John Coltrane num subúrbio carioca: "Parabéns, Trane Train, com setenta velinhas em bolo confeitado, cascata de camarão, tio fanho contando piada de papagaio, desquitada que fuma recebendo santo quando passam a mão na bunda dela. Muitos anos de vida".

Pode até mesmo inventar gêneros, como o jazz come-quieto, assim batizado em homenagem a um de seus expoentes, John Pizzarelli: "Bonzinho significa o grumete, no alto da gávea, gritando: chifre à vista! O Pizzarelli é o cara. Minha mulher, as quatro filhas, a secretária, as amigas, as vizinhas, até minha cachorra Flecha – todas acham Pizzarelli 'bonzinho'. Não é nenhum Joe Pass. Toca bem paca, dá o recado, e é cheio de sutilezas no que diz respeito à camuflagem das limitações. Tem um som despojado, tranquilão, e vai levando a coisa, como se dizia antigamente, na flauta, embora seja guitarrista. A fã pede um autógrafo e, quando volta a si do encantamento, está grávida".

Aquele que, nas canções, pôs lado a lado torresmo e moela, castigo e perdão, modess e camisinha sabe muito bem os atalhos entre grotesco e sublime, dito e sugerido, imagem e palavra – essas duas sempre em tensão, jamais resolvidas. Ao comentar *Jazz*, o documentário hoje clássico de Ken Burns, "monta" cenas em velocidade vertiginosa, sugerindo um épico de bolso filmado por

Martin Scorsese com roteiro de Eric Hobsbawm: "um sujeito, com um violão boca de tigre no colo faltando uma corda, sentado num balanço caindo aos pedaços na varanda – se é que se pode chamar aquela pocilga de varanda. Oito crianças com o nariz escorrendo em volta, campos de algodão, luz crepuscular. Nellie criando caso, o trem apita ao longe. O cara, disfarçadamente, entorna um grande gole da 'boa', aquela de alambique clandestino. Sentimos, por identificação, pena da figura, mas aí, ao invés de um suspiro de resignação, arma-se – aqui, sim, é mágica – o acorde menor: jazz".

Aldir cita muito, mas cita como um solista em longo improviso – e não para mostrar que sabe ou para humilhar quem não sabe ou lembra. No fluxo de ideias do texto, enfia outras ideias, suas e dos outros, atordoando quem ouve – ou melhor, quem lê – com sugestões e provocações, levando o hipnotizado ouvinte – ops, leitor – para outras praias: "Há violões e guitarras em Lorca e em Drummond, em Neruda e em Vinicius, alegria dessa vida ou em funeral, vadios ou ajudando a chorar baixinho. O violão pode ser tocado num canto com o Redentor ao fundo ou anunciar gravemente a invasão da Normandia: pode correr mundo com o Bola Sete e o Laurindo de Almeida, ou ficar por aqui, feito o Mão de Vaca, junto com o sabiá e uma cruel desilusão".

Na virada dos anos 1990 para os 2000, a mesa de bilhar profissional que historicamente atravancava a sala de Aldir vivia coberta de livros, em sua maioria protagonizados por detetives. Ele os dispunha ali em pequenas pilhas, numa ordem insondável, como parte de uma gigantesca pesquisa para o alentado e até hoje incompleto romance policial que escreve e reescreve. Por isso, a ideia de comentar os lançamentos do gênero terminava sendo parte do processo criativo, que incluía conversas com "fontes" que lhe explicavam métodos investigativos pouco ortodoxos dos detetives da Muda e muita conversa sobre o capítulo que teria pouco a ver com a narrativa e se dedicaria a destruir a reputação do comportado bairro do Grajaú.

A paixão policial é apenas um dos itens do imenso cardápio de um leitor onívoro, que não só traça o que vier, como vai armazenando os livros por tudo o quanto é canto. Um dia, já faz tempo, entrou em pânico ao sentir cheiro de queimado e teve certeza de que a casa pegava fogo. O incêndio, em outro apartamento, reavivou um de seus piores pesadelos, o da biblioteca em chamas, que alimentava com base na ficção e na vida: a queima de uma vasta coleção de livros é o momento-chave na vida de Peter Kien, protagonista de *Auto-de-fé*, o romance de Elias Cannetti, e foi crucial no último ano da vida do tão longamente admirado Octavio Paz, que comparava a perda da própria biblioteca à morte dos amigos mais queridos.

Pra Aldir, livro queimando só mesmo na mão de Pepe Carvalho, o idiossincrático detetive criado por Manuel Vásquez Montalbán que costumava alimentar a lareira com títulos de sua biblioteca. Aldir era a tal ponto devoto do escritor catalão, morto em 2003, que dois anos antes topou entrevistá-lo, para o NO., na Bienal do Livro do Rio. Parecia um tanto surreal, mas de repente, numa saleta improvisada, lá estava o doutor Blanc, nervoso como um colegial, diante do ídolo. Baixinho e gordinho, com cara de poucos amigos, Montalbán se surpreendeu com o nível de detalhe das perguntas, anotadas num papel todo dobrado. E se surpreendeu mais ainda quando soube que o bravo repórter era o compositor de músicas – da parceria com João Bosco – que ele, Montalbán, conhecia bem. Era fácil, tanto na fala quanto nos livros, perceber o que Aldir via nele: a mesmíssima capacidade de nutrir um gênero popular, como o romance policial, com referências cultas, política, e muita, muita idiossincrasia.

Aldir reverencia Conan Doyle e Dashiel Hammett, mas vê graça em James Ellroy ("o escritor mais politicamente incorreto do mundo"), no sueco Henning Mankell. E, é claro em Luiz Alfredo Garcia-Roza, que combinaria a mão de Hitchcock com o olho de um carioca, assim com Aldir combina aqui, Freud e Zé Trindade, espelhos e fiu-fiu: "Uma delegacia em Copacabana pode refletir o caos.

Janelas. Espelhos. Hoje estamos nos vendo no reflexo das vítimas, sejam os bombeiros soterrados, ou os pés de chinelo que não compreendem sequer porque estão morrendo sob os mísseis. Espinosa está, como todos nós, cariocas, envolvido com várias mulheres. No Rio de Janeiro, isso é obrigatório".

Trata os seus preferidos com deferência como trata com galhofa o que detesta, como mais recente onda de *serial killers* do mercado, homenageada aqui com Jeffery Deaver e seu detetive, o protagonista de *O colecionador de ossos*: "Lincoln Rhyme, especialista em cenas de crime, se orienta por listas de resíduos encontrados no local dos assassinatos, substâncias como 'planta orvalhinha, musgo de turfa, isca fedorenta, canfeno, cocô de brontossauro, declarações de Ricardo Teixeira, vestígios da Pasta Rosa...'".

O jazz e o romance policial, convenhamos, têm muito em comum. Nos melhores casos, nascem na penumbra. Partem sempre de impulsos pouco domesticados que solistas e detetives perseguem em busca de uma verdade possível – na resolução musical ou no fim de um caso. Ambos traduzem a vida nas cidades, a cacofonia e o lirismo possível no meio delas. O jazzman e o detetive encarnam, ambos, uma peculiar ideia de elegância; um e outro vivem amores estropiados e cultivam musas improváveis. No improviso complexo, assim como na dedução mirabolante, o raciocínio vira música. Jazz e romance policial, convenhamos, são, por tudo isso, dois dos muitos ingredientes sempre em ebulição no gabinete do doutor Blanc.

COLTRANE E MINGUS

JAZZ É VÍCIO. Não tem essa história de flertar com o lance, brincar com o material, dar uma cafungadinha e voltar, são e salvo, para o aprisco (bééé!) familiar.

Jazz é feito paquerar a cunhada, passar a mão na mulher do amigo, beijar no elevador a colega de trabalho: começa leve, mas deixa cicatrizes profundas.

Imaginem um garoto do Estácio, daqueles bem amalucados, com as canelas recém-cobertas pela calça comprida e ainda cheias de mercúrio cromo devido a um tombo de bicicleta em Paquetá, entrando na velha Palermo, no Largo da Carioca, e saindo com um embrulho de discos, as fotos deslumbrantes, Oscar Peterson, Dave Brubeck, Stan Getz, os primeirões.

No dia seguinte, a fera já está diferente. A mãe, intuitiva, desconfia que seu bebê começou a queimar fumo com os vagabundos do morro do São Carlos. Ainda não. Foi o jazz. A cara do adolescente parece coisa de filme B, "Invasores de Cassiopeia", essas loucuras. Os amigos de esquina, sem o clássico dente da frente e sapatos tô-na--merda, ainda gostam de Elvis Prestes, talvez um parente distante do lendário líder comunista, e do Lirôu (o acento era aí mesmo) Richa – mas o bicho já viajou pra galáxias muito além do Carl Sagan.

Já que tocamos no assunto, não há no jazz, com a possível inclusão de Bud Powell e Charlie Parker, seres de planetas tão fascinantes como John Coltrane e Charles Mingus.

A série *The very best of the Atlantic Years*, presta serviço inestimável aos jovens jazzófilos lançando os discos dos dois gigantes. O ouvinte que continuar o mesmo depois de "My favorite things", "Summertime" e "Body and soul" pode dirigir-se ao Jardim da Saudade e cavar a própria sepultura. Já está morto. O mesmo vale para "Pithecanthropus erectus", "Reincarnation of a lovebird" e "Cryin' blues". No CD de Coltrane ainda podem ser ouvidos, de quebra, Wynton Kelly e o jovem (na época) McCoy Tyner, além das aulas de contrabaixo dadas por Paul Chambers. Dannie Richmond, um dos maiores bateristas de jazz de todos os tempos, bota – e tira – o trem nos trilhos para Mingus.

Os viciados conhecem de cor e salteado as faixas, mas jamais se cansam delas. Já os novatos começarão – garanto que é muito melhor que essas frescuras de magos na estrada de Damasco – a percorrer as sagas jazzísticas de Coltrane e Mingus: um aspirou atingir a divindade com seu sopro. Por ironia, e a história da música está repleta delas, quanto mais alto voava, piores as visões do inferno. O outro passou a vida toda no inferno sem saber que era um deus.

SOLO

RECENTEMENTE, TODOS SENTIMOS – não adianta negar – um prazer malévolo com a notícia, padrão *gossip*: um jovem talento confundiu Louis Armstrong com o astronauta que tropeçou nas pedras da Lua. Pena. Como escreveu Auden, a Lua é um deserto.

Meu primeiro orgasmo jazzístico foi com Louis Armstrong tocando "Basin Street blues", o clássico de Spencer Williams, uma das faixas do LP *Música e Lágrimas*, trilha do filme *The Glenn Miller story*, estrelado por James Stewart e June Allyson (é forçoso reconhecer que nunca fui muito normal: morria de tesão na caretice da June). Os pais de um amigo haviam saído. Sequestramos o uísque do coroa, botamos Louis numa daquelas telefunken, cuja frente lembrava um Scania-Vabis, e decolamos. Para sempre. Da rua Maia Lacerda, direto (mas com todas as escalas do mundo) para New Orleans, berço da fera.

Lúcio Rangel, profundo conhecedor de música popular, tio do não menos Sérgio Porto, achava que o começo, meio e fim do jazz era Louis Armstrong. Por aí. Parece radical, mas o feroz crítico tinha lá suas razões.

Ninguém ouve Louis Armstrong tocar impunemente.

A gente leva a vida inteira procurando aquela dose. Buscamos essa medida nas mulheres, nos copos, nos livros, na música. Louis Armstrong nos dá isso. Momentos raros. A sensação de que valeu a pena. Não faz mal que passe depressa. É só repetir a faixa.

A palavra beleza, pra mim, vai estar sempre associada à Rita Hayworth e Kim Novak, em *Pal Joey* (*Meus dois carinhos*), mais as vozes de Frank Sinatra e Bing Crosby, o trompete de Louis Armstrong, e aquele merdinha da Zona Norte finalmente se dando bem, em meio à Alta Sociedade.

Tenho repetido aqui, vocês perdoem esses festejos, essa emoção, palavras, palavras, palavras sobre a elegância formal do jazz. Um pistom diante da Esfinge, o rio de notas abrindo o cortejo fúnebre sob a chuva, o contraste entre os dentes brancos no rosto negro e o lenço manchado de sangue, tocar acima e além do cumprimento do dever, contrariar ordens médicas com olhar matreiro de avô (lembrai do vinho, não da lágrima), suor, drogas, comunhão: fazei isso em memória de mim – ou, segundo a fórmula ainda mais antiga, pra que eu esteja presente. *Again. Forever.*

Já sei por que nós, brasileiros, gostamos tanto de Louis Armstrong: ele é o retrato, tocado e cantado, do "só dói quando eu rio".

Pensando bem, a mancada do tal carinha não foi tão grande assim: o trompete de Satchmo faz qualquer pé-rapado do Estácio levitar na face oculta da Lua.

JAZZ

DEIXOU SAUDADE A SÉRIE DE PROGRAMAS SOBRE JAZZ, transmitida pelo canal por assinatura GNT. Alguns xiitas musicais consideraram, mesmo elogiando, que foi uma vitória da imagem sobre a música. É uma discussão complicada. Eu, por exemplo, raramente vejo programas sobre jazz. Prefiro ouvir. O fato é que ouço menos música do que o leitor pode imaginar. Música me angustia, me deixa meio pirado e é preciso um estado de espírito especial para degustá-la.

Registro minha satisfação com o programa do GNT e o retorno do canal ao que era quando fiz, anos atrás, a assinatura. Eu praticamente não saía do 41. Depois foram surgindo tarôs, runas, magias, massagens na aura e outros babilaques que não condizem com minha rude sensibilidade de carioca da Zona Norte. Não estou interessado em fazer um mausoléu para bichos de estimação no quintal, muito menos em aproveitar o Miojo que sobrou para a confecção de uma peruca que certamente agradará, por sua originalidade, no Scala Gay. Mas admito as tais pressões do público, hum, emergente.

Sempre ouviremos falar de pressões: da caldeira, da sogra, do Id (Amin as criancinhas) essas tiranias. É verdade e não é. Tem mais caroço embaixo desse angu. Nessas famosas pressões, temos que considerar o seguinte: um sujeito, com um violão boca de tigre no colo faltando uma corda, sentado num balanço caindo aos pedaços na varanda – se é que se pode chamar aquela pocilga de varanda. Oito crianças com o nariz escorrendo em volta, campos de algodão, luz crepuscular. Nellie criando caso, o trem apita ao longe. O cara, disfarçadamente, entorna um grande gole da "boa", aquela de alambique clandestino. Sentimos, por identificação, pena da figura, mas aí, ao invés de um suspiro de resignação, arma-se – aqui, sim, é mágica – o acorde menor: jazz. Não adianta o meu querido Wynton Marsalis dizer que as fanfarras faziam pom-pom-pom-pom, até que um doido meteu no meio do lance: pom-pom-pom-skidum-pom. Tá legal. Mas e a liga vermelha no bordel? Mas – o jazz é cheio de "mas" – e o bujão, o vômito, o desmaio no camarim? O cigarrinho suspeito? O gin feito na banheira? Pois é. Jazz. Feito de oração e doença venérea. O cuspe que o malandro sacode do trombone pode azeitar outras junções, conjunções, conjugações. Tô só estendendo a nota. Acorde menor. Oitavas. Perguntas e respostas na igreja, logo depois incendiada pelos surdos da KKK. Um jazzista jamais endossaria um cacarejo desses, coisa de quem não conhece modulação, improviso, incerteza. Jazz é incerteza, dúvida, equilibrista na corda bamba – parece que as cartas estão marcadas, mas a queda aleija. Sopro de fumante inveterado, o fôlego moribundo. Mãos calejadas que precisam fingir que estão cada vez mais ágeis –, mas não tem esse papo de fingimento virar verdade? Então... Viver achando que expirar aquele sol menor pode ser o último suspiro.

E um dia, ôi, é mesmo. Como escreveu o Ivan Lessa: aqui jazz – e tchau, abração, etc. etc. Jazz tem um porrão de etc.

Vendo a série do GNT, compreendi que o jazz é a última Odisseia, uma complexa volta espiritual para casa, casa estranha, nem sempre luminosa, mas situada no futuro, onde Penélope está na cama com outro. Nunca a palavra Modernidade – com o – teve sentido tão verdadeiro. Jazz, junto com o samba, a Grande Arte do século XX.

GÊNIO

SURGEM CADA VEZ MAIS LIVROS, e dos bons, que fazem referência ao jazz. Já falamos de *Buddy Bolden's blues*, de Michael Ondaatje, e de *Novecentos – um monólogo*, de Alessandro Baricco. No recém-lançado *A carta esférica*, de Arturo Pérez-Reverte (Companhia das Letras), o protagonista, Coy, não passa sem ouvir Miles Davis. Há páginas inesquecíveis sobre jazz nos livros, de ficção ou não, de Julio Cortázar. Não sou súdito, muito menos devoto, de reis. Eles têm o hábito de andar pelados sob luxuosos andores, até serem expostos por um menino. Depois garantem que não vão renunciar, e renunciam para fugir à merecida punição. Só respeito soberanos no jazz, a música que nos deu Kings, Presidentes vitalícios e Reis que, muitas vezes, bom som, se chamam Rays.

Pra vocês terem ideia de como o Brasil mudou pra pior, musicalmente, houve um tempo em que "Stella by starlight", no programa radiofônico *Músicas na passarela* (*E agora, ouviremos a música lilás...*) galgava em três dias, no voto popular de verdade, sem jabá, o primeiro lugar na parada.

Droga não dá luz a cego, como disse Glauber Rocha, mas a música faz cegos enxergarem mais longe.

Com Ray Charles, não tem essa história de rei morto, rei posto. Manuel Vázquez Montalbán disse, em entrevista recente, que ditadores ficam no poder a vida toda, morrem, e viram dez linhas numa enciclopédia.

No jazz, os reis Rays duram pra sempre.

Dissemos que Cortázar amava o jazz. Por coincidência, saiu um livro dele agora, um poema dramático sobre episódio mitológico, chamado *Os reis*. Ouçam a voz de Ariadne:

– Falar é falar-se (...) Tens medo do eco?

Ouvir Ray Charles é feito letra de samba em papel de cigarro, escrevinhada por um sujeito que toma conhaque Dreher em frente à sardinha de balcão. Tá lá cravado o verso para a posteridade: "na gangorra da vida...". Manjo disso. Ouvindo Ray Charles, vou lá em cima, penso "um dia ele vai gravar uma das minhas", dá-se um vazio ontológico, a gangorra desaba, e dou com a bunda no chão.

O CD duplo "Ray Charles – Blues + Jazz" reúne gravações antológicas dos anos 1950 e 1960. É de tirar o fôlego – o nosso, porque o do Ray é magno. É preciso ter penicos no lugar de orelhas pra não se emocionar com "Come back", no disco 1, ou a eterna "The man I love", uma façanha, já que esse clássico dos Gershwin tem centenas de gravações, algumas delas inesquecíveis.

Que visão tem o Ray. Superou não só a cegueira, como, incrível, parte da infância passada na Flórida, talvez porque, na linha de sombra entre os dentes brancos e as lentes escuras, reine um amargo humor subjazzcente.

Meus editores e eu bolamos uma frase que sussurraremos, durante a falta de luz, para nossas colegas de trabalho. Não nos incomodaremos se for usada na campanha publicitária do CD: "Em tempo de Apagão, acenda a velha chama com Ray Charles!".

Discos assim nos fazem entender porque um homem excepcional vira herói, depois mito e, finalmente, ascende ao Olimpo. Não respeito nem o reinado celestial, mas ouvir Ray Charles é como orar: em nome de Parker, do Mingus e do John Coltrane – jazzmen!

MILES

PARA O JAZZÓFILO, ELE ESTÁ VIVINHO DA SILVA e a palavra comemoração não tem muito sentido. Se no Brasil todo dia é dia de índio, de violência desenfreada, de corrupção desmedida, para o amante de jazz todo dia é dia de Miles. Com uma vantagem drummondiana: também poeta, Miles se encheu de ser moderno. Não interessa mais avaliar a adesão ao fusion, a inveja do sucesso de músicos medíocres da área pop, o uso do sintetizador, as roupas espalhafatosas, o temperamento de cão, o caráter duvidoso.

O legado musical de Miles Davis passa de passagem por essas querelas menores de mídia latindo atrás da novidade que se transforma no osso nosso de cada dia.

Miles veio de Armstrong, o enormíssimo *Cronópio* do Cortázar, semente generosa, crescente, fértil. Bateu bola na várzea com Clifford Brown, Clark Terry, Roy Eldridge, Dizzy Gillespie, Chet Baker...

Ouso dizer que não haveria Wynton Marsalis, Roy Hargrove, Nicholas Payton, Terence Blanchard, Leroy Jones e Dave Douglas, sem Miles.

A polêmica em torno de *Bitches brew* é cascalho, abobrinha, para não usar palavras mais rudes, diante do som em *The birth of cool*, *Kind of blue*, *In silent way*.

O curtíssimo verbete do *Dicionário Grove* diz que Miles tocou com Charles Parker, Gil & Bill Evans, John Coltrane, Sonny Rollins,... A gente pode acrescentar, só de farra: Oscar Pettiford,

Paul Chambers, Red Garland, Art Blakey, Milt Jackson, Thelonious Monk, John Lewis, Bennie Green, Horace Silver, Kenny Clarke, Ron Carter, entre outros.

Nascido em Alton, no Illinois, em 25 de maio de 1926, oficial e estranhamente dado como morto em Santa Monica, 11 de setembro de 1991, Miles, como todos os grandes músicos, está por aí, em qualquer esquina, voltando, voltando, voltando. Miles é um legítimo representante da volta dos que não foram, o cool nascendo como gíria no gueto toda vez que o ouvimos. Nem cabe a pretensiosa palavra reouvir porque cada vez é a primeira vez e, privilégio dos gênios, o arrebatamento emocional que nos envolve faz parecer a última. Talvez não haja artista que represente as contradições do século XX feito Miles – mas talvez, igualmente, não haja artista que simbolize todos os artistas, em todos os tempos, como ele, o pacto com Mefistófeles, o momento em que a música invade como uma possessão o espírito do criador e ele parte, obstinadamente, por um veio quase invisível de inspiração (e avalanches de transpiração) em busca do que não vai conseguir alcançar – e tome birita, fumo, seringa, visões místicas. A ironia é que uns poucos, dentro desse inferno, caem mortos no Portal do Paraíso: Parker, Coltrane, Mingus, Evans, Miles...

Viva a ambiguidade fundamental de Miles. Miles é demais? É, porque Miles nunca é demais.

Resumir Miles Davis é sempre perigoso porque, num concerto obscuro no Japão, Miles, pensando que está em Marte, usa uma frase e fisga o ouvinte para sempre. Em todo caso, as três caixas (preparem o bolso) *Miles Davis / Gil Evans – The complete Columbia studio recordings*; *Miles Davis Quintet: 1965-68* e *Miles Davis & John Coltrane – The complete Columbia recordings, 1955-1961* ficam, aqui em casa, bem ao alcance da alma.

O TREM DE TRANE

JULIO CORTÁZAR ESCREVEU SOBRE CLIFFORD BROWN palavras que, leves, caem como folhas de outono sobre a memória do jovem John Coltrane: o xamã no mais alto da árvore de passagem, cara a cara com a noite fora do tempo...

Mircea Eliade, estudando o xamanismo, descreveu uma primeira forma de transmissão hereditária, e ainda uma qualificação pelo "chamado", a vocação espontânea, além da vontade própria ou do clã. Tudo isso se aplica ao Grande Pregador Coltrane, em seus sermões para todos e para ninguém, proclamados do alto das montanhas que só ele visitava, transformando, milagre dos milagres, os pães e os peixes em brisa, e é bacana os músicos de jazz desmentirem o truísmo que afirma: não se pode viver de brisa.

O Pregador, em seu púlpito de chamas (incendiário ou vítima da KKK?), transmite a mensagem musical cuja Graça está em não ser decifrada, nunca, mas amada pelos (des)crentes e (in)fiéis acólitos atraídos pelo Exemplo: o Pregador é o primeiro a se crucificar em sua estranha mistura de dádiva e narcisismo, os dois lados da mesma moeda com que o público de fariseus pensa em vendê-lo (e comprá--lo), as duas faces-fácies de Janos, quadros de uma exposição alada, Picasso, Magritte, Duffy, Pixinga, Morengueira – o maior jazz.

John Coltrane *amba saman* sola a experiência transmissível e indecifrável, das Novas Hébridas à Amazônia, o fogo primitivo, o sonho libertário do escravo, a agonia do espírito, no que é contemporâneo e ancestral, como sangue escorrendo do sacerdote-vítima que se autoimola, lábios rachados, pulmões enfisematosos, veias picadas, as mãos erguendo o saxofone como se apontassem a faca de obsidiana contra o próprio peito.

Melhor encerrar a sessão de hoje com a prata da casa, Luis Fernando Verissimo, não por acaso um saxofonista, com as palavras do prefácio ao livro *História social do jazz*, de Eric Hobsbawm:

"E a sua integridade nunca dependeu de sair do porão enfumaçado ou da briga por um lugar no mercado da música popular, sempre foi o resultado de uma avaliação particular, de uma ética autoimposta – um pouco como a da prostituta que faz tudo, mas não beija na boca".

Coltrane, morto, tem infinitamente (êpa!) mais a dizer que nossos espertíssimos sambolas e sertanojos. Parabéns Trane Train, com setenta velinhas em bolo confeitado, cascata de camarão, tio fanho contando piada de papagaio, desquitada que fuma recebendo santo quando passam a mão na bunda dela. Muitos anos de vida.

ALDIR "CACHIMBO" BLANC

PS: Em meu modesto dicionário, Train quer dizer cauda de vestido, de cometa, de pavão; séquito, comitiva, trem, cortejo; fila, procissão, caravana; série, sucessão, sequência, rosário; ensinar, instruir, educar etc.

Legal, né?

ALGUMA COISA EM COMUM COM O FREE JAZZ

1 – CHUCHO VALDÉS

É preciso ter talento para transformar "El manisero", de Moisés Simons, numa peça digna de Bill Evans, de rara beleza e complexidade, sem que não perca jamais sua faceirice original.

Só não vou à apresentação de Chucho Valdés porque seria preso gritando: *Delírio! Delírio!*

"Delirio", de César Portillo de La Luz, é a chamada música pega-fêmea (no meu caso. Cada um pega o que lhe parecer mais apetecível). Não falha. Se a conquista vai a meio-pau, você coloca "Delírio", na interpretação de Chucho, e ela se atira de cabeça e maiô Catalina em seus braços. Pode conferir. Agora, se ela resistir, acione "Quiéreme mucho", de Gonzalo Roig. Continua o jogo duro? Bom, meu chapa, vai preparando elazinha pra lançar martelo em 2004, *carajo*!

2 – RAVI COLTRANE

Esse, queira ou não queira, luta pela herança – o que não quer dizer que jogue contra o patrimônio. Ravi é um grande instrumentista, filho de um dos três ou quatro megamonstros sagrados do jazz: John Coltrane. Mas o "garoto" tem sopro pessoal e intransferível. Pegar uma interpretação antológica do pai, "My favorite things" e ter a ousadia de reler, sinceramente, é pra macho descomplexado. Deu-se o milagre: Ravi Coltrane colocou sua alma, nuances próprias, e sobreviveu ao gigantesco desafio – o que significa uma brilhante carreira (no bom sentido, é claro) pela frente.

3 – MAX ROACH

O homem se inspirou no ritmo dos trens de metrô, no trajeto Brooklyn/Manhattan. É mole? Não adianta querer fugir do chavão: Max Roach é lenda viva do jazz, tocou com Duke Ellington, Count Basie, Charlie Parker, Mingus. Para usar uma frase comum em futebol quando o craque realiza a grande jogada: ele faz parecer fácil. Só que é muito complicado. O baterista imprime ao grupo sua personalidade e consegue aparecer quando não quer aparecer. Foguista do Blue Train, alimenta as caldeiras com mãos de prestidigitador. E a gente, de boca aberta, quando Max Roach sola, vê flores, lenços coloridos e cartas de baralho onde há só baquetas e escovas.

4 – RAY BROWN

Pra encerrar esse modesto solo em quatro movimentos, meu músico predileto. Ray Brown foi o pulso vital de Oscar Peterson, de Clark Terry, Ella Fitzgerald, Dizzy Gillespie, Monty Alexander, entre outros gênios do jazz. Tocou em duo num disco (tenho em vinil) antológico: *This one´s for Blanton*, com Duke Ellington, homenagem póstuma ao baixista Jimmy Blanton, que muitos consideram o pai de todos. Ouçam a faixa "Sophisticated lady".

Existe um vídeo de Frank Sinatra em estúdio, com a banda de cobrões, sob a regência de Quincy Jones. Num dos intervalos, alguém fala do passado e um jovem músico, de gozação, pergunta:

– O Ray Brown já estava lá?

O barato é que todo mundo ri, e Ray, satisfeito, ri mais do que todo mundo, com a tranquilidade de quem não tem que provar mais nada: o cara sabe que é eterno.

THE OLD FLAME

A SÉRIE *JAZZ SHOWCASE*, DA BMG, traz de volta gravações antológicas dos selos Prestige e Riverside (1951-1962). São três CDs, estrelados por Miles Davis, Bill Evans e John Coltrane. As capas dão o clima do que vai acontecer quando o ouvinte amoroso perfurá-las tal qual hímen complacente.

Os jazzófilos conhecem essas gravações, mas aqueles que desejam uma iniciação de gala não poderiam encontrar nada melhor. Algumas interpretações contidas nesses CDs ilustram uma breve, porém inesquecível aula de jazz. Por exemplo: a gente aprende muito sobre nuances quando na primeira música do disco de Miles, "Will you still be mine?", ouve Oscar Pettiford para, logo depois, na seguinte, "Just squeeze me" ser apresentado a outro baixista, Paul Chambers. Quando Chambers morreu, um músico disse: "achamos que tudo tinha acabado". É compreensível.

"Just squeeze me" serve também como aula prática para demonstrar a entrada de um improviso de sax tenor: John Coltrane. A palavra ataque nunca mais foi a mesma (ainda que consideremos a performance de Esmeraldo Simpatia-é-Quase-Amor, no banco de trás de um Austin, com manicures da Penha).

Do CD de Bill Evans, antologia pura, sem gelo, direi apenas que será preciso pensar duas vezes – e lavar bem a boca – ao proferir a palavra modernidade, depois de ouvir "Peace piece".

Pra vocês terem uma ideia do peso, entre os distintos acompanhantes estão: Coleman Hawkins, Thelonious Monk, Jim Hall, Scott LaFaro, Bennie Green, Milt Jackson, Sonny Rollins, Horace Silver, John Lewis e aquele menino, o Charlie Parker, entre outras feras.

Num documentário de Don McGlynn, *Charles Mingus: Triumph of the underdog*, produzido por uma das viúvas de Mingus, Sue, Mingus diz que seu baterista favorito, Dannie Richmond, "às vezes toca em baixo, puxa pra cima, pra frente e volta", referindo-se a um hipotético alinhamento. Essa interação, com um músico se antecipando, recuando, criando o espaço-tempo do outro, é fundamental no jazz (e tudo que falta à seleção do Van Luxemba).

Quando ouviram Coltrane tocando "Lush life" e "Sturdust", os Arcanjos pousaram discretamente os instrumentos e apontaram, entre risadas, para o Altíssimo:

– O Velho pensa que é *The best* em matéria de sopro vital. Tadinho.

– O diabo deve estar morrendo de rir...

MATE KIM RETICÊNCIAS

CONTEI PRA VOCÊS, EM MATÉRIA ULTRA/PASSADA, como os petizes lá do Estácio curtiam Lirôu Richa e Elvis Prestes no desa/brochar dos anos 1950 (notaram como as barras deram um toque pós-moderno na próstata do texto?).

Fui, nessa gloriosa época, apresentado a Mate – feito aqueles caubóis, Mate Dilon e Mate Leão – Kim Kôu, que eu julgava de ascendência coreana. Problemas com a pronúncia de antanho. Meu encontro com Mate aconteceu de maneira indireta, como uma crítica de FHC ao Lula. Moças e rapazes da TTCF (Turma Tá Com Fome), grêmio de minha adolescência, participavam de um animado programa de calouros, com gongo e tudo. Não havia o famigerado karaokê nipo-paulistano. Para encantamento geral, um sujeito um tantinho fanho, amortalhado em inesquecível camisa de ban-lon vinho, enlouqueceu a plateia, com um início de pneu furado e abundância de xxxis, a exemplo das fitas pornô:

– Xxxxxxisss faxinêêêixon...

Tenho um primo, próspero contrabandista ligado à Comissão de Ética do Senado, ex-sócio do Barbalho, que fez a versão, inspirada na imorredoura levada do fanho:

– Tu és faxineira...

Um dia, um Verissimo e/ou um Lessa escreverão o Tratado Geral do Apelido – porque o garboso intérprete tomou um pela proa, ainda no meio da canção, que o imortalizou na rua Maia Lacerda e adjacências. Entrego no final.

O CD *Night lights* traz vinte e duas músicas interpretadas por Nat King Cole, nos tempos heroicos da Capitol, doze das quais absolutamente inéditas. O parceiro de Cole no disco é o lendário Nelson Riddle. Se você chegar em casa chutando cachorro e criando encrenca, Mate Kim Kôu é melhor que Valium, Lexotan, Olcadil, esses venenos viciantes.

Quatro das músicas têm sabor de Horta da Luzia. Fizeram parte de um fracassado musical, como ressaltou o grande João Máximo, de Jimmy McHugh, "Strip for action", na Broadway. São elas: "I just found out about love", "Dame crazy", "Too young to go steady" e "Love me as though there were no tomorow". Ótimas. As coisas que fracassam nos Estados Unidos não são fáceis. Uma delícia ouvir "The shadows", "The way I love you", "The story's old". Fazem também parte do CD as antológicas "To the ends of the Earth" e "Never let me go". Eu escolhi essas, mas preferência, sexual ou não, é coisa muito íntima, até mesmo irracional. Eu, por exemplo, sou Vasco. Incrível, né?

Quando o CD acabou, senti vontade de cantarolar com a voz do amigo fanho, *quero chorar, não tenho lágrimas*, lembram?, carro-chefe daquele fajuto mas gostoso LP do Kôu: *A meus amigos*.

Ah, o apelido: Mate Kim Xota.

PS EM X – Meus netos Pedro e Vinícius entram em casa aos gritos, exultantes, derrubando coisas, rostos afogueados:

– Vovô, a gente viu xerecs!

Eu, enxugando as lágrimas, e já chamando o Jack:

– Também fiquei assim quando contemplei uma pela primeira vez. Injustamente, vovó Mary quer me matar.

PORTAL DO JAZZ

OS INSISTENTES COVEIROS DO JAZZ DEVEM FICAR CHATEADOS quando um CD da qualidade de *Beyond*, de Joshua Redman, surge nas boas casas do ramo.

Utilizando uma base clássica, o trio, Redman dá conta do recado e vai além, justificando o título do disco. Aaron Goldberg, no piano, Reuben Rogers, no baixo e Gregory Hutchinson, na bateria, não são apenas "pessoal de apoio". Brilham juntos com o protagonista, aliando técnica e criação.

Uma discussão de décadas atrás, na qual até o filósofo Theodor Adorno meteu a colher, sugeria que os improvisos jazzísticos estariam se estereotipando numa série limitada de variações cujo automatismo tenderia à robotização. Redman e seus músicos desmentem energicamente essas ideias. Ouçam "Courage (Asymmetric aria)", "Neverend", "Leap of faith", com a participação de Mark Turner no sax tenor entre outras. O início de "Leap of faith" despertaria um sorriso de reconhecimento em Coltrane.

Está na moda falar em portais para outras épocas e dimensões. Físicos e cosmólogos sérios reconhecem que a possibilidade teórica existe. Na prática, não temos como produzir a quantidade de energia necessária para uma dessas viagens. Bom, o jazz consegue percorrer o hiperespaço com um sax tenor...

Joshua Redman é um herdeiro do Reino. É preciso escolher as palavras com calma ao escrever sobre essa nobre linhagem porque lá estão, nos etéreos ramos da árvore, Sidney Bechet, Charlie Parker e John Coltrane, Coleman Hawkins, Lester Young, Ben Webster e Dexter Gordon, Cannonball Adderley, Paul Desmond, Joe Handerson, Sonny Rollins, Stan Getz e Gerry Mulligan. Tem Bird aí para povoar várias florestas amazônicas. A geração de Redman garante a boa safra: Michael Brecker, Wayne Shorter, Antonio Hart, Gary Bartz, Javon Jackson,... Vez por outra, um despenca, abatido pela música de elevador ou sob a saraivada de banalidades dos programadores de rádio.

O bom jazz envolve grande apuro formal. Essa elegância, no momento em que ouvimos um solo, parece contaminar nossa timidez, nossa irremediável falta de jeito. O jazz, no swing de um improviso inesperado, arremessa o ouvinte da poltrona habitual para o palco enfumaçado em que nossos ídolos se apresentam. Somos um deles, sabemos das coisas, ligadaços, exibindo uma aura de competência duramente conquistada em porões, becos, espeluncas – nossas universidades.

O segredo que existe entre jazzófilos é, ainda que tênue, a possibilidade de comunicação. Em plena Babel, sentimos, sem que saibamos explicar direito o motivo, que alguém está tentando falar a nossa língua. Depois de mais um dia de desilusões e isolamento, colocamos, com mãos de náufrago, o CD de Joshua Redman. E, através da respiração dele, recebemos novo suprimento de oxigênio, o fôlego do saxofonista parece o nosso, sístole-diástole, respiração boca-a-boca. Lembramos os versos de Rilke, em "Hora Grave": "Quem chora algures no mundo, ...chora por mim".

Como em letra de samba canção, fica a ilusão de não sermos sós. O jazz foi nossa primeira Internet.

SEM DAR TEMPO AO TEMPO

PASSAGE OF TIME, O MAIS RECENTE CD DO JOSHUA REDMAN QUARTET, atua a favor do grande saxofonista, confirmando a progressão contínua de discos anteriores como *Wish*, *MoodSwing* e *Beyond*.

A primeira faixa, "Before", cresce em clima quase oriental, evocando origens perdidas. Funde-se com a segunda, "Free speech – phase i", um neobaião que poderia ter a assinatura do Guinga. No improviso, o jazz come solto. O quarteto, formado pelo próprio Redman, Aaron Goldberg no piano, Reuben Rogers no baixo e Gregory Hutchinson na bateria, é impecável e mostra, mais uma vez, o jazz quebrando cercas e muros de guetos. Dois afro-americanos carecas com caras de muçulmanos, Redman e Rogers, batem um bolão com um negro de cabelos rasta e um rosto que lembra Lumumba. Pra completar, o pianista Aaron, branco, poderia estar num tanque bombardeando Gaza. Felizmente escolheu o jazz.

Na sequência, "Free speech – phase II" não é armação, remix, falso brinde. É uma composição diferente da anterior, com novas experiências rítmicas, incluindo toques latinos, na qual o rabínico Aaron arrasa no piano.

As faixas são ligadas e a lírica "Our minuet" continua a luta dos músicos para reter a passagem do tempo ou colocá-lo em outra dimensão para nós, felizes ouvintes, que vemos o jazz do futuro avaliado nas reinterpretações da memória.

"Bronze" tem a ousada sustentação de 'Lumumba' Hutchinson, garantindo o vertiginoso fluxo de seus companheiros.

A hora fatal soa em "Time". A faixa é tudo que esperávamos ouvir, o mistério dos instantes escorrendo como se Proust estivesse soprando numa cave de Saint-Germain – ou do Harlem, tanto faz. Quando pensamos que a faixa acabou, Redman, misericórdia, mas ironicamente, nos concede mais "Time", como uma paramédico fazendo respiração boca-a-boca em bêbado caído na sarjeta.

"Enemies within" começa *free* e avança com elegância para sofisticados improvisos no tempo. Certo. Entre inimigos, todo cuidado é pouco.

"After" fecha conscientemente o seleto repertório. 'Antes', na primeira faixa, Redmnan era um. O tempo passou. 'Depois' se vê.

Dizem os pessimistas (com intenções lucrativas à vista) que o jazz está no fundo do poço. Acho que não. De qualquer forma, a fonte Redman é uma jazzida riquíssima.

JAZZ EM FAMÍLIA

A FAMÍLIA MARSALIS É PURO JAZZ.
Todo filho único se imagina passando um fim de semana com os Marsalis, nos bons tempos, quando os gênios musicais de hoje eram crianças. No café da manhã, papai Ellis Marsalis, alheio à bagunça, lê uma polêmica sobre Stravinsky. Delfeayo, com a boca cheia, não consegue falar, Wynton e Branford trocam desaforos:
– Nariz de quiáltera!
– Bimbinha diminuta!
O tumulto vai num crescendo fortíssimo até que vovó Marsalis aparece com o baixo e todos se dirigem à sala de música para a diversão favorita: tocar jazz. Dizem que foi essa avó que ensinou contrabaixo ao Ray Brown, não posso jurar.

The Dark Keys, com o Branford Marsalis Trio é quase *free*. A faixa título, bastante complexa, tem atuação primorosa de Branford e do baterista Jeff "Tain" Watts.

Quase todas as composições são assinadas por Branford, que deu uma colher de chá para o irmãozinho Wynton em "Hesitation".

As faixas guardam, todas, o mesmo espírito experimental, com participações especiais de Joe Lovano em "Sentinel", e Kenny Garrett em "Judas Iscariot".

Curiosamente, em um disco de hard jazz, a faixa que pega mais leve, "Blutain", é de autoria do baterista.

Se o disco de Branford pode ser ouvido também pelo viés do humor (a última, com o trocadilho "Schott happens", resume esse clima), o de Wynton é clássico pelo repertório que aborda e até (os caras são irmãos, né?) pela intenção trocadilhesca do título do CD, sacralizando Jelly Roll Morton: *Mr. Jelly Lord*.

O cultuado Jelly Roll Morton também mereceu homenagem de Charles Mingus.

O CD de Wynton é o sexto da série *Standard time*. O banho de Wynton em toda a série é um definitivo cala-boca naqueles que o consideram um mero "revisionista". Quem quiser atirar a primeira (e a última) pedra que tente recriar a mistura de tradição e modernidade, tudo redondinho e sem fissuras, de *Mr. Jelly Lord*. Apertem os cintos e percorram, em cerca de uma hora, um século de música e de mudanças climáticas na mítica New Orleans, entre Blues, Bumps, Stomps & Pearls. Nas palavras do próprio Wynton: "A música de Jelly Roll Morton prova que todo jazz é moderno".

Felizmente, nossa história não termina aqui, os dois ainda farão muitas gravações antológicas.

Conta-se que, até hoje, quando a família se reúne, e papai Ellis não está olhando, um rosna para o outro:

– Nariz de quiáltera!
– Bimbinha diminuta!

BANDA PODRE
É A OUTRA

ALGUNS MÚSICOS E COMPOSITORES – voltaremos ao assunto no final do artigo – são menos reconhecidos por seus múltiplos talentos. Parece que parte da crítica condena o, no melhor sentido da palavra, ecletismo. A verdade é que, na hora de arranjar e de compor, a visão ampla do passado e do que está acontecendo, aliados ao reconhecimento de todo tipo de influência, não constituem defeito.

Quincy Jones nem sempre recebeu o aplauso que merece. O CD *Quincy Jones's finest hour* repara um pouco tamanha injustiça.

A importância de Quincy Jones é revelada, no disco, pelos músicos que, em diferentes épocas, integraram sua orquestra, seguidora das imortais Big Bands. Vejamos: na primeira faixa, "Stokholm sweetnin'", gravada em 1956, atuaram Art Farmer no trompete, Jimmy Cleveland no trombone, Phil Woods no sax alto, Hank Jones no piano e o lendário Paul Chambers no contrabaixo. Esse álbum incluiu também Charles Mingus e Milt Jackson em outras faixas. Na sequência, a gravação de "That midnight sun will never set", parceria de Quincy com Dorcus Cochran e com o mitológico Henri Salvador, comete ligeira covardia: a vocalista é Sarah Vaughan; Zoot Sims comparece no sax tenor e Kenny Clarke arrasa na bateria. "Moanin'", de Bobby Timmons, é um clássico total. Foi imitado, lá e aqui, mais de mil vezes. Provando que Quincy Jones não dá ponto sem nó, despontam na faixa Clark Terry, Benny Golson e a guitarra antológica de Kenny Burrell.

A influência de "Moanin'" foi tão grande que aparece na faixa seguinte, "G'Won Train", do pianista da orquestra de Q. J., Patti Bown, arranjo valorizado pelas participações de Freddie Hubbard e Curtis Fuller.

Aí, tomemos um gole no capricho porque é a hora de "Blues in the night" (Harold Arlen e Johnny Mercer). O ouvinte é arremessado a becos, gangs, quadras mal-ajambradas de basquete onde acontecem brigas com facas de mola. É uma dessas composições que captam seu tempo e ainda profetizam pra onde a banda vai, sem violentar a tradição.

Uma prova da excelência do disco é que estamos só na quinta faixa. Ainda desfilarão Teddy Jones, Lalo Schifrin, Jim Hall, Grady Tate, J. J. Johnson, Ray Brown, Toots Thielemans, Johnny Mandel, Bud Shank, Herbie Hancock, e as cantoras Dinah Washington e Chaka Khan.

Quero destacar aqui a beleza de "For Lena and Lennie", um daqueles temas orquestrais em que o arranjo para o naipe de sopros vai levando o ouvinte, envolto em *blue velvet*, até... bom, até cair na real e se arrepender de ter pensado no que não devia. Noite complicada pela frente...

"Theme from the palmbroker" (do filme *O Homem do prego*), conduzida em bolero, é uma das faixas mais Brasileiras de Almeida do disco. Já, "Soul Bossa Nova" não faz muito minha cabeça, pelos detalhes turista-na-macumba.

"Comin' home baby" (Bob Dorough – Ben Tucker) e "Killer Joe" (Benny Golson) têm aquele clima de tiroteio em escada de incêndio. Se o ouvinte estiver de porre, começa a bater boca com a dupla Baretta e Kojak.

Prometi voltar denunciando injustiça: aqui entra a faixa "Velas", de Ivan Lins e Victor Martins. Ivan é nosso Quincy.

Um detalhe engraçado: a última, "Stuff like that", em levada rythim & blues, é legal mas não alcança a densidade das outras – como se o barômetro sinalizasse o que viria rolando... Autoria da música: N. Ashford – S. Gadd – E. Gale – Q. Jones – R. MacDonald – V. Simpson – R. Tee. Colonizado acha isso sensacional. Se fosse no Brasil, diriam que a galera se juntou pra faturar samba-enredo.

CANTAR: A ORIGEM DAS TRAGÉDIAS

QUANDO CONTEI A UM AMIGO, apreciador feroz de jazz instrumental, que escreveria sobre a cantora Joni Mitchell, recebi de volta um olhar de censura embrulhando a pergunta:

– Quem é Joni Mitchell?

Purista de cara feia é um pé no saco. Joni Mitchell vem da pop music, apresentou-se ao lado de Bob Dylan, tem público imenso e cativo. Além de site próprio na internet, La Mitchell aparece em outras 27.400 citações. Está na estrada desde a gloriosa década de 1960, gravou discos considerados antológicos e é também compositora, poeta, instrumentista e pintora. Canta qualquer estilo e os críticos ficam meio confusos (ótimo) ao tentar classificá-la. Não gosta do, digamos, ambiente musical. Outro ponto pra ela.

O CD *Both sides now* é intimista – como se Joni Mitchell dissesse (e está certíssima): *Isso é assunto meu.*

O seleto repertório inclui canções de 1933, 1939, 1943... Algumas delas, como "Stormy weather" (Ted Koehler – Harold Arlen) e "You've changed" (Bill Carey – Carl Fischer) mereceram interpretações arrasadoras de deusas da música americana. Joni Mitchell sabe que não dá para encarar. Apesar disso, seu recado personalíssimo faz bonito.

Bacana ver a cantora sair do estádio lotado por admiradores fanáticos, livrar-se da mochila, encostar o violão de cordas de aço na parede, vestir um longo com a proverbial orquídea presa ao peito por uma camafôdace (críticos da Zona Norte são um pobrema) e mostrar à suntuosa orquestra de cordas como a banda toca.

Já escrevi uma vez que a elegância formal do jazz é importantíssima. Sem ela, no Brasil, você pode acabar gritando, na piscina da Nicéia, "vem, gente, que tá igualzinho a Paquetá!". Por essas e outras, dirijo-me sempre a meus editores pelo sobrenome. O abandono da elegância formal me levaria a chamá-los de Tuska e Pau-pau. Eles, com toda razão, revidariam e eu passaria a ser Didi Mocó. Também a coluna sofreria um abalo: de Joni Mitchell para o traseiro de uma colega de redação. Os dois temas são ótimos, mas a cantora fica mais sutil na Internet.

Em *Both sides now*, Joni Mitchell soube dar o toque, a pala, conseguiu captar o *schein* nietzschiano do jazz (que está na origem de todas as tragédias): a fragilíssima respiração humana, não raro mortalmente impregnada de fumo e álcool, divinizando-se em música.

Cantar é o mais belo espetáculo da alma

VARIAÇÕES GOULD

A BOA BIOGRAFIA DEVE DESESPERAR QUEM ESCREVE SOBRE ELA.
Talvez o grande mérito do livro *Glenn Gould - uma vida e variações*, de Otto Friedrich (Record), seja conseguir o (quase) impossível: no silêncio de suas páginas, ampliamos a compreensão do gênio de Glenn Gould, ouvimos ainda melhor sua música – ou, o que não é pouco, acreditamos nisso.

O estilo Gould foi descrito pelo escritor Thomas Bernhard, no monólogo sinfônico (pode? pode, sim) *O Náufrago*: "Logo que se sentava ao piano ficava como que mergulhado em si-mesmo... e parecia um animal, se o olhássemos mais de perto parecia um aleijado, mas a uma observação ainda mais atenta surgia-nos então o belo homem inteligente que sempre havia sido... dobrou-se sobre si mesmo e começou a tocar. Tocava como que de baixo para cima, e não, como todos os outros, de cima para baixo. Era esse o seu segredo". É, de fato, impressionante. Os vídeos mostram Glenn Gould em sua pequena cadeira (que teve as pernas serradas pelo pai, Bert Gould), um cavalo-de-batalha da crítica implicante. A cadeira e Gould balançam de modo estranho. A perna esquerda do pianista aparece torta, em ângulo inusitado.

Prodigioso, hipocondríaco, cercado de pílulas – o livro informa, via uma carta, que, entre outros remédios, Glenn Gould podia tomar em vinte e quatro horas Nembutal, Luminal, ativadores de circulação – ao mesmo tempo em que temia viroses e infecções, protegendo-se com múltiplos pulôveres, cachecóis, luvas. Para corrigir imprecisões no ensaio de uma passagem musical particularmente difícil, colocava, em fogo cruzado, dois rádios a todo volume. Abandonava turnês, referia-se aos recitais como sendo "um dos esportes mais sangrentos", odiava aviões e festas.

Grande admirador de Kafka, escreveu *Glenn Gould entrevista Glenn Gould*, sobre Glenn Gould. Brigou com Leonard Bernstein; processou a casa Steinway porque um funcionário exemplar (o único homem autorizado a afinar o piano de Vladimir Horowitz) tocou de leve em seu ombro – foi engessado por causa disso.

Feito resenha de livro, a vida de Glenn Gould estacou de repente. Suas variações são infinitas. Porque, se entendi direito a conclusão de Otto Friedrich, Glenn Gould sempre esteve e não esteve por aí. Como todos nós.

De qualquer forma, os brasileiros estamos destinados a amar Glenn Gould. Na pior das hipóteses, por não ter depositado "empréstimos" nas contas de parentes do Pittanic.

CULPA E CUBA REMOVEM MONTANHAS

NUM BAR HIPOTÉTICO, ARMA-SE A RODINHA DE AMANTES DO JAZZ. O assunto é contrabaixo. Surgem os nomes olímpicos de Mingus, Ray Brown, Oscar Pettiford, Paul Chambers, Charlie Haden... Os nomes são pronunciados devagar, como quem rola rebuçado no céu-da-boca. Súbito, um americano com ar de culpa suspira:

– São todos músicos incríveis – mas nunca houve um baixista como Cachao.

Os colonizados concordam, balançando prudentemente as cabeças. Otário que perguntar "quem?", corre o risco de ir para a cadeira elétrica do Bush Jr.

Os americanos primeiro bloqueiam e sufocam; depois exercem, "generosamente", sua culpa monumental sobre os que levaram à falência.

Espoucam, a toda hora, imagens de Havana nas tevês por assinatura. Parece uma cidade bombardeada. Sobrados caindo aos pedaços, avenidas quase abandonadas. A eterna falta de combustível, causada pelo bloqueio imoral, faz com que, de vez em quando, um vetusto Pontiac cruze a solidão. Pequenas bailarinas se exercitam em um solar coberto de heras que lembra a "Casa de Usher" antes da queda, com um piso capaz de fazer nosso Popó beijar a lona no primeiro round.

Os fofoqueiros sibilam à socapa que a prostituição voltou às ruas, com preços aviltantes: servicinhos essenciais a um, dois dólares.

Mesmo assim, a culpa manda repetir que não há baixista como Cachao. E Rubén González e Chucho Valdés são maiores que Bill Evans.

Já tem brasileiro, desclassificado em festival, gemendo pelos cantos:

– Ah, se eu fosse cubano...

O CD *Días de gloria*, de Pablo Milanés, é como Cuba: sofre mas não se dobra. Pablo, 57 anos, um dos fundadores do importante movimento (no tempo em que essa palavra não cheirava a armação) Nova Trova, convalesce de várias cirurgias; seu país, também. A canção título dá, de maneira comovente, um retrato da situação pessoal do compositor e cantor cubano e do momento sócio-político da terra que ama: "Los días de gloria se fueron volando / yo no me di cuenta / sólo la memoria me iba sosteniendo / lo que un día fue /vivo con fantasmas / que alimentan sueños / y falsas promesas / que no me devuelven / los días de gloria / que tuve una vez".

Mesmo numa canção comercial como "Cuando llegas ausente a mí", Pablo Milanés está anos luz à frente de nossas sertanagens. Cantando boleros, os cubanos são imbatíveis. Dá vontade de tentar uns passinhos, dois pra lá, dois pra cá, com a Deborah Winski da música, "Wendy sin allas".

Na bela "En saco roto", que lembra de longe nossas melhores modas de viola, a incerteza está presente, mas existe a firme vontade de resistir. Ouçam "Masa", o poema de César Vallejo, musicado por Pablo Milanés. Em "Éxodo", Pablo não tem vergonha de cantar o carpinteiro Pepe, o eletricista Juan, a diretora de orquestra Hildita, o empresário Vladimir, o pintor Tomás. E deseja vê-los, mais uma vez, para morrer. A última faixa celebra novos Dias de Glória. Quem sabe? Talvez seja por causa dos Pablos que Cuba, bem ou mal, ainda resiste.

E agora, com licença: vou acender um Partagas e beber um copito de rum. Estou cheio de culpa por ter escrito esse texto.

BRIGA DE AMOR, CAMARÁ!

NÃO HÁ RAZÃO PARA ENTOAR DE FORMA HISTÉRICA "mentira, foi tudo mentira, você não me amooouuu...". A homenagem de Daniel Barenboim, no CD *Brazilian rhapsody*, é sincera. Como se estivéssemos num velho concurso de Miss, entre rosas e pequenos príncipes, Barenboim mostrou-se responsável pela tentativa de cativar o Brasil. O disco é elegante como um tropeção de Ibraim Sued na festa das Dez Mais. Sabor kitsch-carambola, admito. Mas não há equívocos tipo "capital: Buenos Aires", nem Pelé aparece, de poncho e boleadeiras, *montado num lhama*, com pássaros afogados em óleo petrô sobre o sombrero, ao som de "Cielito lindo".

O CD é como entrar no Drink de Outrora, abraçar Araken Peixoto, pular o drogado caído na porta do banheiro e saber que vai ter show com pianista novo. O cara se apresenta, afável, e tem ligeiro sotaque:

– Prrazerr, Daniel Barenboim.

E a fulminante intimidade carioca também adentra o palco:

– Fala, Barenba!

É verdade que o "Tico-tico no fubá" ressente-se daquela ciscada pinto-no-lixo do imortal Waldir Calmon. A coisa soa como "Cuco-cuco no metrônomo".

Um implicante pode criar caso com as cores das palavras-título, na capa: verde-hepatite, amarelo-ôvo-em-ministro e, sim, roxo-ex-secretário-da-presidência. Nem tudo é perfeito.

"Manhã de carnaval" tem sensível introdução. Em "Tristeza", o clima Bill Evans do começo estava divino. Pena a entrada do baixo saltitante, como se fosse tocado pelo rabo do Tigrão. Barenboim diverte-se, sonha como em sua própria casa, nas faixas de Darius Milhaud e nas "Bachianas brasileiras nº5", de Villa-Lobos. Essa última tem aquela atmosfera dos antigos *Play Bach*, lembram?, do Jacques Loussier.

Os dois clássicos de Ary Barroso, "Aquarela do Brasil" e "Bahia", são bem interpretados e emocionam – embora a gente quase ouça a voz irascível do Mestre de Ubá reclamando de uma coisinha ou outra.

Em suma: um bom CD, no qual o Brasil foi tratado de maneira rara – com dignidade.

Minha tresloucada sensibilidade Zona Norte aproveita a deixa para retribuir a homenagem de Barenboim arrasando em paródia de Baden e Vinicius:

> "Quem é homem de bem não trai
> o amor que lhe quer seu bem...
> Barenboim! Barenboim!
> Barenba, Barenba, Barenboim!"

GUITARRA EM FUGA

A GUITARRA É O SÍMBOLO MUSICAL DO SÉCULO: esguia, falsa-fácil, leviana, mortal. Do blues ao rock, uniu-se visceralmente a seus cultores, consagrou alguns, atirou muitos outros na sarjeta. Por sua traiçoeira ambiguidade, criou legiões de seguidores fanatizados.

Há violões e guitarras em Lorca e em Drummond, em Neruda e em Vinicius, alegria dessa vida ou em funeral, vadios ou ajudando a chorar baixinho. O violão pode ser tocado num canto com o Redentor ao fundo ou anunciar gravemente a invasão da Normandia: pode correr mundo com o Bola Sete e o Laurindo de Almeida, ou ficar por aqui, feito o Mão de Vaca, junto com o sabiá e uma cruel desilusão.

Se há no sax uma sensualidade que vai do inferninho à experiência mística, como em Coltrane, espécie da tantra no gueto (bom título pra um teminha. Vou falar com o Reinaldo sobre isso), é no corpo a corpo com a guitarra que o sexo do fim do século se consumou – destorcido, ocasional, dopado, doidaço, às vezes terminando em quebra-quebra, assassinato, suicídio.

Fiz essa longa introdução só pra dizer que o CD *Bump*, de John Scofield, é bom, mas eu esperava mais dele. Scofield é um sósia daquele goleiro francês careca, mas se sai melhor nas bolas altas. Se alguém insinuar que eu introduzi o assunto futebolístico pra falar de Viola, eu brigo – mas, já que tocamos no assunto: Dapieve, porque será que o Viola usa aquela saia-pretaportê-de-tafetá ao invés de calção, como todo mundo?

"Blackout" (não confundir com o General da Banda) é a melhor faixa do CD. Scofield foi fundo. "Swinganova" de fato suinga, mas não é tão nova. Eu encontrei a moça, com outra roupinha, num baile de formatura com o Ed Lincoln, Pedrinho Rodrigues, Wilson das Neves, Jorginho Arena, Rubens Bassini, Orlandivo, a turma toda.

Não poderiam faltar as faixas 'cabeça': "Kilgeffen" (ou Dormonid...) e "We are note alone", uma daquelas concepções tipo 'Leve-me ao seu Líder'. O problema é que se os alienígenas derem com os chifrinhos no Bush Jr, vão bombardear tudo. Interessante a participação de Scooby-Doo e alguns fantasmas uivando cool ao longo da faixa "Drop and roll". São trips para consumo, na classe turística, e há qualquer coisa errada com o desodorante da aeromoça. Na segunda parte de algumas dessas músicas, abrem-se acordes para aquele momento da inefável transcendência que o garotão maconhado estava experimentando na Quinta do Bosque um segundo antes de ser escoiceado de volta à realidade pelo arrastão. Paciência. Há fugas e fugas: as de Bach e as do Fujimori.

Em suma: mistura de ritmos, *latinidad*, pitadas de exotismo, sons que podem lembrar uma ocarina perdida na Amazônia ou najas botando a Vaca Sagrada pra correr.

John Scofield sabe tudo e poderia ter ido bem mais longe.

Na última faixa, reprise de "Kilgeffen", agora em clima Dalmadorm.

Boa noite.

TALENTOS PARADOXAIS

POUCOS MÚSICOS SÃO TALENTOSOS COMO GEORGE BENSON. Muito poucos, quando querem, conseguem ser tão chatos. A faixa-título do CD *Breezin* é um dejazzvu (desculpem): introdução de cordas melosas, pausa, balancê, tiriri-trolololó durante uns trinta compassos, a levadinha, o improviso padrão que é tudo menos improviso, fast food muzak soft, um troço desses. Nada contra a música comercial que pretende ser também de boa qualidade. Na faixa seguinte, "The masquerade", Benson mostra, com sobras, que isso não só é possível como artístico, na melhor acepção da palavra. George Benson sempre arma essas encrencas: ao lado de uma gravação antológica de "Stardust", pode pintar o equivalente (lá deles) pop-popuzudo. Dá a impressão que Benson faz presepada pra apanhar o que se convencionou chamar, nos criativos dias que vivemos, de cachorra.

Não tenho qualquer tipo de implicância com George Benson. Cheguei a ficar engarrafado cinco horas para vê-lo no antigo Metropolitan, na Barra da Tijuca. Caí no conto do supershow em megacasa de espetáculos. Minha mesa ficava perto de Bacaxá, aquela aprazível cidade onde a gente dobra à direita pra chegar em Saquarema. O garçom tomava três conduções e acabava, exausto, bebendo o uísque no caminho. Daqueles de garrafinha, tudo a mesma marca. Aqui no Bar da Maria, é o popular "não-tem-tu-vai-tu-mermo". Com uma luneta de Taiwan, eu tentava enxergar o palco.

Lá pelas tantas, muito irritado, bradei, nativo do Estácio que sou:
- Essa merda não começa?!
Me disseram que o show já havia acabado – incluindo a participação especial de meu amigo e parceiro Ivan Lins.
Dia seguinte, no buteco, risinhos debochados:
- Saiu ontem, Blanc?
- É... Fui não ver o show do George Benson.

***

Outro guitarrista, outra história. *Blue dream*, com Bill Frisell, atira suavemente camadas sonoras sobre o ouvinte como pás de terra numa sepultura em campos de algodão da Louisiana. É um disco muito bonito. O perigo é que você comenta com um amigo, parafraseando o Dapieve:
- Senti tanta paz interior com o último CD do Bill Frisell que quase tentei o suicídio.
Também merece destaque, em alguns momentos, os sons emitidos por um músico não-identificado – talvez o Marciano Hipotético, do Verissimo.

BENSON E O TURBANTE DE ABACAXI

NÃO SE ILUDAM QUANDO GEORGE BENSON aparece jogando para a torcida, vestido de rumbeiro, com uma ex-namorada de Wanderley Luxenclinton revirando os olhinhos gananciosos na plateia. A guitarra continua a mesma.

Benson, quando quer, é um seguidor dos melhores guitarristas do jazz, discípulo de cracaços como Django Reinhardt, Charlie Christian, Wes Montgomery, Joe Pass, Jim Hall... No CD *Absolut Benson*, o ritmo é da pesada, os caras botam pra quebrar. George Benson teve o bom senso de reunir, dentro da cozinha, nomes como Luis Conte nas congas e timbales, e Luisito Quintero na percussa. É praticumbum de fazer juiz de menores exibir os seios.

O problema é que não dá para levar a sério o la-lá-lá de "El barrio". O gaiato que cantasse tal melô no meio do gueto seria retalhado em segundos por aqueles baixinhos de touca e camisão abotoado no pescoço. O respeito que tenho pelos *derechos* humanos me impede de acrescentar: merecidamente.

As faixas são 'agradáveis' em demasia, como aquele perfume que embriaga e, logo depois, dá bode. Falta, e muito, a selvageria criativa de um Mingus, a aspereza de um Coltrane e o inconformismo de Miles Davis mesmo quando flertava com outros gêneros.

Em *Absolut Benson*, a casa noturna enfumaçada foi substituída pelo McDonald's – disfarçado, com ares de megaespetáculo na Barra da Tijuca, mas tá lá. A gente pensa que vai esbarrar com Dexter Gordon em Paris e dá de cara com peruas na delicatessen.

"One on one" promete, mas acaba se perdendo entre as convenções artificiais e as firulas. O começo de "Hipping the hop" é um daqueles constrangedores momentos musicais que recordam meus problemas esofágicos. Sugiro o subtítulo: "Genérico, salta um Omeprazol 20mg!".

É possível fazer um CD comercial de alta qualidade, sem apelar para fogos de artifício. A balada "Lately", de Stevie Wonder, demonstra isso no CD; "Come back baby", de Ray Charles, também. Infelizmente, outra composição de Joe Sample, a quarta, traz o clima Collor em Miami de volta.

As faixas são todas bem tocadas, mas a maioria soa a armação salseira. Como se um produtor esperto arregimentasse bons músicos para um "disco latino", com hits oportunistas tipo "Invasión de Granada por los marines" e "Ejecutando chicanos", essa última com a participação especial de Bush Jr. no piano elétrico.

Pra encerrar, o ouvinte recebe um bonus track de "El barrio (Maw Mix)". *Gracias*, mas nem precisava...

MUITO ALÉM DO R&B

O CD *TAKE YOUR SHOES OFF* VEIO A CALHAR PARA UMA COMPARAÇÃO: Robert Cray passou de passagem, com grande desenvoltura, dando dribles desconcertantes nos marcadores que conseguiram conter George Benson, comentado na última semana.

Wanderley Luxemburgo diria, entre um e outro processo, que o disco tem atitude. Um excelente CD comercial, dançante em várias faixas que, no entanto, consegue esbanjar qualidade artística.

Robert Cray é um exímio guitarrista e cantor inspirado. Sua música vem do encontro de Ray Charles, Muddy Waters e outros afluentes poderosos.

É sempre uma experiência fascinante para o ouvinte registrar aquele momento em que o mero pop – a "água de bidê", na expressão mal-humorada de Edgar Varèse – se transforma num rio turbulento, graças ao toque daquele que divide as águas. Se um intérprete qualquer repetisse dezenas de vezes "What about me", eu resmungaria palavras pouco delicadas e mudaria o disco rapidinho, mas Robert Cray faz exatamente isso e todas as frases soam diferentes.

Depois do sacode geral em "Love gone to waste", "There nothing wrong", "24-7 Man", "It's all gone" e "Won't you give him (One more chance)", Cray tira um ás da manga digno de um trapaceiro elegante, o rei do pôquer em velha barcaça do Mississipi: "Tollin' Bells".

Nessa última faixa, tiro de misericórdia e fecho de ouro, o agressivo som dos sinos vai paradoxalmente levando o ouvinte para outra paisagem, muito além do R&B, onde o lendário trem que influenciou a guitarra negra passa apitando por campos de algodão – um cenário idílico atravessado por lamentos, e, aguçando os sentidos, percebemos caipiras com o focinho de Bush Jr. injuriando "boys", capuzes brancos, cruzes em chamas e estranhos frutos nas árvores diante de pequenas igrejas incendiadas.

É em tal universo paralelo que se dá o show do múltiplo artista: Robert Cray, Robert Play, Robert Cry, Robert Pray, por aí.

CHARLIE HADEN

NOS DOCUMENTÁRIOS DE ARTISTAS POLÊMICOS LIGADOS AO ESTILO *FREE*, Ornette Coleman no topo, costuma aparecer, entre músicos negros, um rapazola branquelo, com aquela cabeleira pajem-playmobil e bigode |apata-brochou, uma espécie de sub-Ringo. Trata-se de ninguém menos que o antológico baixista Charlie Haden, um monstro. Contemporaneamente, poderia formar naqueles painéis, tipo NBA, ao lado de Paul Chambers, Oscar Pettiford, Ray Brown, Scott Lafaro, Charles Mingus, Gary Peacock...

O cara tocou – muitíssimo bem – com meio mundo: Joe Henderson, Kenny Barron, Keith Jarrett, Gonzalo Rubalcaba, Hank Jones e o nosso Egberto Gismonti, entre outras feras. Dá banho em discos históricos de jazz, como os quatro volumes da série *The Montreal tapes*, e os três de *On Broadway*.

No CD *Nocturne*, Haden foi um pouquinho egoísta, já que seus parceiros brilham tanto ou mais que ele, é um susto – mas o susto não parece pesadelo, não. Muito pelo contrário. A coisa tá mais pra você sair do banho, de copo na mão, e encontrar a Vera Fischer (gosto não se discute) de tomara-que-caia, à luz do abajur lilás, que será da minha vida sem o teu amor, ouvindo, de olhos fechados, boleros, 50 Anos, 54 pra ser mais preciso, na lendária poltrona de meu escritório.

O clima de *Nocturne* é Elite, sem gelo, minas e energia, um ou outro apagão aceitável, olho comprido na saia lascada da crooner, dedicatórias de péssimo caráter como "és amada em segredo", papel de Sonho de Valsa alisado em bilhete escroto, sonetos medíocres terminando com "e na aurora que tresanda a nosso amor/saio do teu corpo vencido e vencedor".

O repertório, de tirar a roupa, compreende "En la orilla del mundo", "Noche de ronda" (cujo belo título em inglês é "Night of wandering"), "Yo sin ti", o maravilhoso "El ciego", do Manzanero, "Tres palabras" e, podem cortar os pulsos, "Contigo en la distancia".

Atuações arrasadoras de Rubalcaba, Ignacio Berroa, Joe Lovano, David Sánchez, Pat Metheny e Federico Britos Ruiz.

Um momento hilariante na ficha técnica: a sutileza de um bongô tocado por Berroa virou ritmo minimalista. Esses caras não manjam lhufas de gafieira, daquelas em que o Bengala acerta uma porrada firme no baixinho folgado. Em todo caso, fica registrada minha sugestão pós-moderna pra apelidar anão: minimalista compulsório.

ROY "GLAD" HARGROVE NAS CORDAS

MOMENT TO MOMENT, CD DE ROY HARGROVE, com seu quinteto e cordas, lançado pela Verve, é um belo disco. Os vanguardeiros dirão que é convencional. Discordo. É muito difícil tocar com simplicidade, executar solos brilhantes sem firulas, improvisar de maneira contida, mas intensa.

Chamo a atenção dos leitores para cordas "brasileiras" (refiro-me à forma como as cordas foram escritas e à maneira de tocá-las), abrindo a faixa título, arranjo do pianista Larry Willis. A gente influiu também nos arranjos muito mais do que alguns estão dispostos a reconhecer, tá legal? Desculpem o arroubo tipo horta onde o Conde deu, mas é a pura verdade. Nossos arranjadores – Radamés Gnattali, Eumir Deodato, o próprio Tom, Luiz Eça, Dori Caymmi, entre outros – são referência obrigatória para os gringos.

Hoje, eu estou impossível. Deve ser algum mecanismo imunológico de resistência, elogiar alguma coisa nossa, depois daquele "resgate de reféns" do Bope (não confundir com BIBOP).

Podem anotar aí, pra futuro: Sherman Irby, sax alto do quinteto de Hargrove, substituiu Ron Blake no quinteto e é fera. Quando lhe passam a bola, entra devastando de cara e não perde a pungência interpretativa. Cada nota é valorizada ao limite. Mentes perversas podem até imaginar que um ciumezinho limitou as intervenções de Irby no CD.

O repertório tem Mancini e Mercer, Sinatra (o Homem do Olho Azul é parceiro de Joel Herron e Jack Wolf em "I´m a fool to want you", uma das melhores faixas do disco, arranjo do grande Cedar Walton). Tom Jobim, docemente insensato, foi prejudicado no finalzinho do arranjo, um tanto banal. Minha faixa favorita é "I´m glad there is you", de Jimmy Dorsey e Paul Madeira. Hargrove ainda pinta e borda com Metheny, Mandel, Noble, Cahn...

Os coveiros do jazz devem ficar desesperados. Depois que o Pai de Todos, Louis Armstrong, o enormíssimo Cronópio do Cortázar, passou o bastão para Clifford Brown, Clark Terry, Dizzy Gillespie, Chet Baker, Miles Davis, Freddie Hubbard, e que Wynton Marsalis, erroneamente chamado de revisionista, organizou o meio campo entre gerações com o talento de um Didi, despontaram trompetistas do calibre de Roy Hargrove, Wallace Roney, Nicholas Payton, Terence Blanchard e Leroy Jones. Que ataque!

Botando pilha, Michael Jackson vai ficar louca dentro da fardinha: pelas fotos do CD, Hargrove remoçou uns dez anos. Deve ser pela saudável prática de tocar música verdadeira.

O COME-QUIETO

FIM DE ANO ME DEIXA NOSTÁLGICO. IMAGINEM FIM DE SÉCULO...
Uma vez, em minha longínqua juventude, um tio safo reuniu os garotos para uma preleção natalina:
– Vocês, quando forem casados, podem deixar as esposas com os caras que elas chamarem de bonitos, elegantes, tesudos, tarados, o diabo. Mas, atenção, todo cuidado é pouco quando a mulher se refere a um pilantra como: "Ele é tão bonzinho...". Bonzinho significa o grumete, no alto da gávea, gritando: *Chifre à vista!*

O Pizzarelli é o cara. Minha mulher, as quatro filhas, a secretária, as amigas, as vizinhas, até minha cachorra Flecha – todas acham Pizzarelli "bonzinho".

Não é nenhum Joe Pass. Toca bem paca, dá o recado, e é cheio de sutilezas no que diz respeito à camuflagem das limitações. Tem um som despojado, tranquilão, e vai levando a coisa, como se dizia antigamente, na flauta, embora seja guitarrista. A fã pede um autógrafo e, quando volta a si do encantamento, está grávida. Naquele jeitão cool, pitadas de João Gilberto e Chet Baker, o sonso vai comendo pelas beiradas.

O CD *Let there be love* é ótimo, como sempre. Quase que eu escrevi bonzinho... Farei minha as palavras do Dapieve, numa crônica imortal: eu não sou boiola. Ouço os discos do Pizzarelli numa boa, sem revirar os olhinhos. Mas não deixo minha santa mãe sozinha com ele nem cinco minutos. Meu amigo Mello Menezes tem uma definição para esse tipo: canalha cálido.

Vocês manjam aquele sujeito que se julga irresistível, tipo Johnny Bravo? O metido a gostosão foi a uma festa, viu o Pizzarelli tocando sua guitarra num canto, quietinho, com um monte de mulheres lindas no recinto. Aí, o babaca pensou: "é hoje!". Foi no banheiro dar uma escovada no pelo e, quando voltou, deu de cara com homens resignados, tomando uisquinho. Estupefato, perguntou:

– Ué, cadê as gatas?!?

Um corno mais escolado, com meio sorriso cruel, esclareceu:

– Saíram todas com o Piçarelli...

SEMPRE SINATRA

OI! VAMOS COMEÇAR 2001 (EU SOU CANHOTO) COM O PÉ ESQUERDO? Polemizando, como deve ser? Então, apertem os cintos.

Dois CDs especialíssimos de Frank Sinatra: *Sinatra Royal Festival Hall* e *Frank Sinatra – The Jerusalem concert*. Convencionou-se, não sem razão, que o concerto em Jerusalém é o CD mais devagar e que o outro é soda!

O CD ruim é melhor do que 99% dos lançamentos, aqui e lá fora, na área da tal música pop. A interpretação de Frank Sinatra, abrindo o marcador, em "Where or when", explica um pouco porque a Morte brigou tanto para levar Os Velhos Olhos Azuis. Bem que a safada usou e abusou dos truques e maldades, mas a pulsação não cedia, a pulsação do cara era –quase – invencível. Um ser humano complicado, biriteiro, mulherengo, meio bandido –sinceramente, Morte, como o Poeta perguntou: "Onde está tua vitória?".

"Nice'n'easy", que nem era das minhas preferidas, devia entrar nos currículos sobre malícia e sutileza nos grandes cantores. Clássicos como "The lady is a tramp", "Strangers in the night", e "Fly me to the moon", já antecipando o voo, são reouvidos e encantam, porque é aquela história do Martini: o maître é craque e o sabor sempre se renova.

Se você ficou com uma cerveja esquentando na mão e um tremendo medo de tirar a moreninha de pernas lindas pra dançar, o verão do Estácio transformado num abril de Paris, enquanto

Frank Sinatra sentava o pau em "Saturday night", naquela bolacha de capa verde *Come dance with me*, até que bateu a coragem, você armou um gesto galante pra moça e o filho da puta do namorado chegou junto, não espere "crítica objetiva".

Eu achei que a festa iria durar *in the still of the night*, que eu encontraria no fim *my blue heaven*, mas aí já era *the last dance*. Eu já estava de óculos, escrevendo pro NO.com, sem conseguir enxergar as letrinhas menores dos créditos e com três netos pendurados na garupa, zoneando o texto, pra ir cantar parabéns pra Milena, a quarta pimentinha.

E agora que falamos sobre o CD "ruim", eu vou botar outra dose do Black Jack (a bebida do Velho) e tratar de ouvir o "bom". Prazer em alta!

CORTÁZAR - HEMINGWAY - JOBIM - CORTÁZAR

EXISTE UM TEXTO ANTOLÓGICO DE JULIO CORTÁZAR, no livro *Valise de cronópio*. Puro jazz: "... uma felicidade efêmera e difícil, de um arrimo precário: antes e depois, a normalidade. Quando quero saber o que vive o xamã no mais alto da árvore de passagem, cara a cara com a noite fora do tempo, escuto uma vez mais o testamento de Clifford Brown como um golpe de asa que rasga o contínuo, que inventa uma ilha de absoluto na desordem. E depois de novo o costume, onde ele e tantos mais estamos mortos". Voltaremos a Cortázar no final do solo.

Alguém poderia dizer, com alguma dose de maldade, que a faixa "Spain" não é nenhuma brastemp, ou seja, guarda respeitosa distância de Manuel de Falla, Joaquín Rodrigo – ou mesmo de Ravel, em "Rapsódia Espanhola."

"Spain" é uma evocação jazzística: citações elegantes do concerto de Aranjuez, balanço latino (onde entra até – ou axé – um gingado legal de salsamba), todo o tempero que Chick Corea bota no caldeirão. Na primeira parte de "Spain", depois das fanfarras, com Hemingway pegando um touro ou uma enfermeira à unha, surge um trombone jobiniano, queixando-se que não foi ao cinema, não gosta de praia, telefonou, foi engano, por aí. É bonito? Muito. E a Espanha? Bom, pra ver "Peri-i-i-, beijar Ceci, pararatibum...".

Há grandes momentos em "Spain", como o suingadíssimo solo de Steve Wilson. E, logo depois, Corea manda bala. Não por acaso a faixa é melhor quando o jazz voa. Pode-se polemizar em torno da substituição dos arabescos da guitarra espanhola, com sua riqueza de fogueiras ciganas e lamentos de muezins no alto dos minaretes, pela mão direita de Corea. O resultado é brilhante, mas não comove. O ouvinte tem a impressão que o Cid venceu a batalha com talento – mas estava, de novo, amarrado ao cavalo.

Quando "Spain" silenciou, fui tomar um cafezinho, pensando em outra coisa, pés no chão. Pena. Eu gostaria de ter saído, distraidão, cantarolando "fui na Espanha buscar o meu chapéu...".

É interessante observar que, na segunda parte do "Concerto nº 1 para piano e orquestra", a outra música do CD, ouve-se um belo piano jazzístico, vermelhos e ouros de Espanha, nuances de fugas, a necessária dose de loucura – e a (in)fluência de *all that jazz* é mais vibrante do que em "Spain".

Impossível ouvir Chick Corea sem pensar em Keith Jarrett. Dois pianistas com inícios semelhantes, carreiras decolando em pistas que pareciam paralelas. Hoje, sentimos que o avião de Jarrett ultrapassou a barreira da realidade e voa para o futuro em algum lugar do passado, enquanto o de Corea está enfrentando corajosamente a turbulência de nuvens criativas aqui na Terra mesmo.

Como prometi, Cortázar no encerramento: em "A volta ao piano de Thelonious Monk – Concerto em Genebra, março de 1966", lê-se: "um urso... encaminha-se para o piano... um pé diante do outro com um cuidado que faz pensar em minas abandonadas ou nessas plantações de flores dos déspotas sassânidas em que cada flor pisada era uma lenta morte do jardineiro".

Cortázar estava se referindo aos pés de Thelonious – mas a beleza da imagem vale para as mãos dos pianistas.

PLAY IT AGAIN, BUDDY !

ENTÃO VAMOS TOCAR. Eu estava encostado num balcão sebento, bebendo Raleigh Rey, fumando um cigarrinho suspeito e ouvindo o jazzista Michael Ondaatje tocar "Buddy Bolden's Blues". Tive a impressão de que ele me fazia um sinal. Ou foi a bebida. Havia pausas, modulações, frases repetidas como um lamento, notas altas distorcidas em microtons e eu não resisti. Entrei de cabeça. Como o Ondaatje. É o nosso instrumento, embora ele toque bem melhor. Soou um grito lancinante de sirene, a ambulância passou batida por Basin Street[1], talvez em direção ao gueto das prostitutas entre doze e setenta anos do "Pântano", oitocentos dólares um cabaço em Storyville e ainda direito ao "Óleo de Vira-de-bruços", difícil segurar o fôlego no mexe-mexe de Emma, a francesa, recordista de provocar orgasmos relâmpagos. Tocar como quem quebra vidraças, cadeiras, tevês (no meu caso. Quanto ao Ondaatje, não sei). Eu e Buddy sonhávamos que filhos morriam – até que morreram mesmo. Uma frase dissonante: roubaram um carro do cara com a sogra estrangulada dentro. A hipótese do amigo Webb, policial, é que a cobra de estimação da velha a matou sem querer – como a echarpe de Isadora Duncan, entende? Isso é puro jazz. Passar a

---

[1] Basin Street, também conhecida como Rue Bassin, é uma rua na cidade de New Orleans, Louisiana, EUA, onde, no começo do século XX, eram comuns a prostituição e a boemia. Foi imortalizada na canção "Basin Street blues".

vida na beira do rio e não entrar num barco, uma disciplina, só que ninguém compreende. Frases melódicas mudando de direção, um usando o outro, autor e leitor, como um trampolim na escuridão. Não era importante terminar e esclarecer tudo. Sapato branco e camisa vermelha bastavam. Não falar do passado, só do que pode acontecer nos dez minutos seguintes. Falso alívio. Um trem desaparecendo, afastando-se do corpo como uma veia. As notas certas na cabeça. Ouvir tudo e guardar: histórias inacabadas numa barbearia, piadas mal contadas. Jazz. o encardido dos ônibus, a sujeira dos corrimãos, a porcaria das privadas, manchas de cerveja nas mesas, suor dos pianos, cuspe dos trombones, recolher todos os sons como um veneno voluptuoso entrando no ouvido como língua de mulher, guimbas queimando as unhas, meias duras de suor ressecado, ranho numa folha de jornal, catchup em copo d'água pra fazer sopa, tempestades que vinham roxas do outro lado do lago – a cabeça sombria tocando a banda perfeita. Improviso: música sobre cadáveres no rio, facas, dores –de-cotovelo. Jazz: todas as possibilidades no meio da história. Tantos assassinatos no próprio corpo. Suicídio das mãos. Toda vez que para de tocar você se transforma numa mentira viva. Uma mulher pensa que estou fazendo carinho nas costas dela. Picas. Estou ensaiando, aperfeiçoando um solo futuro, nadando em direção à loucura. Espelhos quebrados, sangue e gelo na lama da sarjeta. As imagens entre o Hino e o Blues mudando junto com a música.

No final de meu humilde improviso, ouço as vozes de Bolden e Ondaatje rindo de mim:

"a música é muito estranha e acho que estou hipnotizado... Blues, vejo o Lincoln Park cheio de pecadores e prostitutas se sacudindo e se esfregando... O Hino estou na igreja da minha mãe e todo mundo cantarolando junto... uma batalha entre o Senhor e o Demônio... ficar escutando pra ver quem ganha. Se parar no Hino, o Senhor ganha. Se parar no Blues, ganha o Demônio".

Adivinhem só quem venceu.

ESCREVER É PRECISO

EIS AQUI ALGUMAS NOTAS SOANDO COMO ONDAS, entre sirenes de nevoeiro, icebergs e a incrível música da Atlantic Jazz Band enquanto afundamos, sem a chatice dos efeitos especiais.

Confesso que me senti em casa, entre meus pares, navegando pelo monólogo *Novecentos*, de Alessandro Baricco, editado pela Rocco – graças aos distintos companheiros de bordo: o pianista de ragtime e jazz, Danny Boodmann T. D. Lemon Novecentos, um telegrafista gago, um timoneiro cego, um capitão claustrofóbico que se esconde no escaler, um médico chamado Klausermanspitzwegensdorfentag (ai de quem precisar chamá-lo numa emergência), o narrador e trompista Tim Tooney, Jelly Roll Morton, o camponês que descrevia o mar como "um urro gigantesco", o bem-humorado irlandês Neil O'Connor "que nunca entendia porra nenhuma", os habituais imbecis da primeira classe.

Logo no início, o autor espeta os jazzistas:

– Quando você não sabe o que é, então é jazz.

Brincadeirinha. Na página seguinte, há uma definição de jazz bem mais sutil:

"Tocávamos três, quatro vezes por dia. Primeiro para os ricos da classe luxo, depois para aqueles da segunda, e de vez em quando íamos até os pobres dos emigrantes e tocávamos para eles, mas sem as fardas, assim como estávamos, e de vez em quando eles também tocavam conosco. Tocávamos porque o oceano é grande e dá medo, tocávamos para que as pessoas não sentissem o tempo passar e se esquecessem de onde estavam, e de quem eram".

O navio Virginian perdeu seu chef, *Monsieur* Pardin, porque não possuía cozinha e a maionese enchia os lavabos. Explica-se: o barco foi projetado pelo engenheiro Camilleri, anoréxico de fama mundial...

Só uma vez o pianista Novecentos pensou em sair de seu amado navio – por um motivo nobilíssimo: ver, de outra perspectiva, o mar!

Peguem a Nau dos Insensatos, coloquem nela estranhos motores cortazarianos que impulsionaram o Malcolm, da Magenta Star, acrescentem tormentas de plástico vencidas pela nave felliniana, a letra do Tite de Lemos como o Pequod atrás de Moby Dick, o catálogo de naus da *Ilíada*, o misterioso mar de um samba enredo da Império Serrano, tombadilho semelhante ao do Highland Brigade em que viajou para morrer Ricardo Reis sob o comando do almirante Saramago, um verso de Auden sobre Melville, tufões de Conrad (porões abarrotados de chineses), aquelas cantigas da Ode Marítima, e transformem tudo nos acordes para piano que, apesar de profundos, não conseguiram ancorar o Bill Evans. Estão desfraldadas as velas da leitura.

Se a história de um homem, um piano e um barco é escrita com o talento de Alessandro Baricco, nela navegam todos os homens, todos os pianos e, bem, quase todos os barcos. Diante da delicadeza do livro, convém excluir a Nau Capitânia.

Em tempo: a ilustração de Flor Opazo, colada na capa de cada livro, é um toque de Ellington na jam session.

JAZZ BRANCO PINGANDO SANGUE

JAMES ELLROY, QUE APARECE NUM DOCUMENTÁRIO SOBRE RAYMOND CHANDLER se autorrotulando como "a besta branca da direita americana", é o escritor mais politicamente incorreto do mundo.

A esculhambação em *Jazz branco* começa no título. Os dois personagens que sopram sax são brancos e instrumentistas abaixo da crítica. O *white jazz* do Ellroy equivale ao nosso popular samba boi-com-abobra.

O sujeito que mais se aproxima do que poderíamos chamar, muuuuito vagamente, de mocinho é o tenente do Departamento de Polícia de Los Angeles, Dave Klein. Ele faz questão de frisar: esse Klein aí é alemão, não é judeu. O tenente Klein é, entre outras coisas, matador, chantagista, explorador do aluguel dos negros em cortiços infectos, comprados graças à corrupção e trambiques fiscais, espancador com bastão de beisebol de operários grevistas, lançador de testemunhas federais pela janela...

Um dos vilões, também ocupando cargo de chefia na polícia, mata, esfola, decapita, e, nas horas vagas, distribui brindes e é capelão leigo.

Há judeus mafiosos de solidéu enrolando a mídia (Ellroy não diz se esse elemento, depois, foi para Israel e se deu bem na política com o apelido de Bibi...), e um carcamano (é como Ellroy trata a turma), também da Máfia, que acaba travesti em Las Vegas. Abundam estupros e incestos variados, psicopatas, cachorros com os olhos arrancados e metidos goela abaixo, escopetas explodindo cabeças, pontas de cigarro queimando pele... Surge também a obsessão do autor com o amante de Lana Turner, o gangster Johnny Stompanato, assassinado pela filha adolescente da atriz. Ellroy pegando leve no papo: o "acessório" de Stomp seria do tamanho do prêmio da Academia, carinhosamente apelidado de Oscar...

Uma frase típica sobre o excêntrico milionário Howard Hughes: "O Sr. Magnata dos aviões e ferramentas, lascivo luxurioso sempre atrás das beldades de Hollywood... já foi dono dos Estúdios RKO: agora é um produtor independente conhecido por manter vagabundas fartamente dotadas atreladas a 'contrato de serviços pessoais' – leia-se pequenos papéis em troca de frequentes visitas noturnas."

Essa flor de pessoa, o tenente Klein, foi chamado pelo gangster Jack Dragna (antes do reinado de Sam Giancana). Dragna, doente do coração, cobra uma dívida antiga: como pagamento, deseja que Klein o mate. O tenente vacila.

Dragna:

– As putas fazem seu serviço.

O tenente, chamado às falas com tanta elegância, sufoca Dragna com o travesseiro. Missão cumprida.

Ainda temos voyeurs, tarados que adoram fazer papel de "paizinho", pornografia, uma cara cortada num sorriso grotesco de orelha a orelha (outra obsessão de Elroy: a Dália Negra foi mutilada assim).

O estilo do livro é pura metralhadora pipocando: boletins policiais, trechos de mensagens de rádio com estática, grampos, memorandos confidenciais, tudo meio truncado e louco. Eis um momento lírico, típico de Ellroy:

– Consegui para você o serviço da Glenda. O Sr. Hughes não confiava em mim para fazer porque sabe que sou suscetível a xotas.

No final, um morticínio digno de nossas plagas. Não é por acaso que o tenente Klein consegue fugir para o Rio...

A gente acaba o livro com a sensação de estar fisicamente sujo. Nada que um banho e uma cervejinha gelada não resolvam. Um alívio ter saído daquela "nojeira" ficcional. Na tevê: declarações candentes de Mamaluf, continuam as buscas a Sacacciola e Nicolalau, alianças espúrias, balas perdidas, quase uma centena de policiais assassinados. O tamanho do buraco na camada de ozônio da Terra é de três vezes e meia a área do Brasil – um rombinho inevitável, provocado pelos probos industriais do Norte, pessoal religioso e civilizado, graças a *God*, neoliberais globalizantes muito diferentes dos personagens de James Ellroy.

B.O. - BOM PRA OTÁRIO

SERIAL KILLER DÁ DINHEIRO. Estão aí Thomas Harris, Patricia D. Cornwell, Jean-Christophe Grangé, David Lindsey (melhor do que se diz; pena que não seja regularmente editado no Brasil), Caleb Carr, e outros menos votados, como Jeffery Deaver, um chato, que não me deixam mentir – só babar de raiva por não ter explorado a ideia primeiro.

Uma vez, pensei em escrever um livro policial com um assassino em série. O psicopata enfiava empréstimos do FMI nos orifícios das vítimas, mas Fernando Gabeira me lembrou, na Bienal do Livro: tem gente que gosta. Rasguei a sinopse.

Eu sou ateu, atoa, atípico. Não me sinto muito debochado, não. É bacana, num país de magos, druidas, anjos cabalísticos, melecomísticos, juízes gatunos, presidentes de entidades variegadas que manchariam, caso estivessem lá, a boa reputação de Bangu I, repito, é bacana ainda ser um cavalo suburbano, como tantos membros da equipe Malan de desmentidos categóricos (duram, no máximo, uma semana, antes de partirem pros paraísos...).

Meu pai aproxima-se dos 80 anos, com todos os exames normais, bebendo e comendo de tudo, incluindo dobradinhas, rabadas, feijões incrementados com muito paio, bobós e vatapás. Tem todos os dentes na boca. Fumou bastante, sofreu de uma asma cruel durante uns quarenta anos, nunca fez um único exercício, a não ser, claro, levantamento de Tacos & Copos, preenchimento de pules, caminhadas ao Beco do Ouro para a fezinha no duque de dezena. O coroa é um fenômeno, coisa pra um Globo Repórter, ou tem muita gente mentindo mais que o Jader?

Acompanho com risadas estrepitosas as novidades sobre saúde na telinha. Tem sempre um cara lá, ar de sábio, esculhambando o aspartame, promovendo a acelga (por dinheiro). Um cientista americano propôs, recentemente, dedadas curativas. Parece que uma caravana de travestis vai a Brasília para pleitear o reconhecimento de nova profissão: os dactiloterapeutas. Minha admiração por Lincoln Rhyme – segundo a orelha do livro *A Cadeira vazia* "o genial criminalista tetraplégico de *O colecionador de ossos*, imortalizado nas telas por Denzel Washington" – limita-se ao uísque Macallan, 18 anos, que ele ingere, entre um ataque e outro. Rhyme, especialista em cenas de crime, se orienta por listas de resíduos encontrados no local dos assassinatos, substâncias como "planta orvalhinha, musgo de turfa, isca fedorenta, canfeno, cocô de brontossauro, declarações de Ricardo Teixeira, vestígios da Pasta Rosa...". Essas pistas não são moleza. No livro, conhecemos um Menino-inseto fascinado com dados assim: "Há 4.500 espécies conhecidas de mamíferos no mundo, contra 980.000 espécies conhecidas de insetos e uns estimados 2 ou 3 milhões ainda não descobertos". Vale notar que a quantidade de escritores de livros sobre serial killers é também dividida em espécies conhecidas e zilhões não descobertas.

Só restaria ao leitor esperar a volta de Angelina Jolie no papel de Amélia Sachs, fiel assistente de Rhyme, mas, agora, como a moreninha da Tia Laura, na Frei Caneca, que virou chacrete, será difícil: muito caro.

Esses romances policiais provam, sem sombra de dúvida, que, da vítima ao leitor, há sempre um ingênuo e/ou fraco o bastante para ser mosca na teia.

É como dizia o Rei Albert II da Bélgica: deixai vir a mim as criancinhas...

JANELAS

UM IMPROVISO DE JAZZ. Janelas hitchcockianas, mas hoje a gente não precisa mais do James Stwuart engessado. Porque Luiz Alfredo Garcia-Roza é capaz de nos fornecer uma versão brasileira daquele filme antológico.

Há detalhes que o mestre do suspense não filmou, porque não era a praia dele: uma saia cortada na coxa em Copacabana, e o leve ondular dos quadris, essas coisas que o carioca preza – e que fazem, não só a melhor tradição da nossa cultura, como a razão da nossa sobrevivência. Obrigado. Continuem assim. Espinosa e eu tamos de olho em vocês...

Quem terá matado os três policiais e suas amantes? O bicho? O desmanche de carros roubados? Esses crimes estarão unidos?

O segredo de uma boa investigação no Brasil e no Iraque é que todos os crimes caminham juntos; visam, como diria o falecido Roberto Campos, o lucro. Nada vai modificar isso. A guerra contra o terrorismo quer lucrar. Serão dezenas de milhares, no mínimo, de vítimas em função do lucro. Na África, faz século, são milhões, o dobro, o triplo do Holocausto. Eles não têm mídia. E agora, vão morrer aqueles desgraçados todos capazes de esvaziar qualquer livro policial.

Uma delegacia em Copacabana pode refletir o caos. Janelas. Espelhos. Hoje estamos nos vendo no reflexo das vítimas, sejam os bombeiros soterrados, ou os pés de chinelo que não compreendem sequer porque estão morrendo sob os mísseis.

Assim são as janelas. Traiçoeiras, suicidas – das quais podemos presenciar a morte do Outro, que é também a nossa morte, visto que o erro, causador e cúmplice dos crimes, é comum a todos nós, além da ideologia, além da religião.

Espinosa está, como todos nós, cariocas, envolvido com várias mulheres. No Rio de Janeiro, isso é obrigatório.

A surpresa, reservada no final, nos dará mais uma bofetada. Com açúcar e com afeto. É assim que a gente funciona, não é? Um dia, que espero distante, isso vai mudar e faremos parte do mundo de hoje, onde as janelas de Copacabana serão mera nostalgia.

TANGO

FREUD, BUKHARIN E SARTRE ERAM FEROZES LEITORES DE LIVROS POLICIAIS. Dizem que Bukhárin chegava atrasado às reuniões do Partido por não conseguir largar um livro. Talvez Stalin, na falta de motivo melhor, tenha matado Bubu "Terceira Via" por isso. Com o tempo, a substância desse tipo de literatura melhorou muito. Não é possível experimentar as primeiras doses do detetive Pepe Carvalho (no meu caso, *Assassinato no Comitê Central*, *Os mares do Sul*, e o inesquecível *Tatuaje*) sem ficar viciado.

Um brasileiro, que acredite nessa história de "pátria em chuteiras", sente-se tentado a gritar goolll, com a leitura de *O quinteto de Buenos Aires*, de Manuel Vázquez Montalbán. Não fica pedra sobre pedra. Os mais sagrados ícones de nosso tradicional adversário futebolístico são demolidos a garrafadas: Maradona, o churrasco, o pugilista Monzón, a Guerra das Malvinas, Borges, peronistas, montoneros, Fangio, Gabriela Sabatini...

Só o tango sobrevive: o tango, a distância mais curta entre a poesia e a vida.

O capítulo "O filho natural de Jorge Luis Borges" vai da página 249 à 362, embora o achincalhe tenha começado antes. Quem achar que essa é a gozação culminante do livro está enganado: o que vem a seguir, "Assassinatos no Clube dos Gourmets", excede as piores chacotas que a gente possa tramar contra os bumbosos vizinhos. É de chorar de rir. Dói imaginar o filme que Buñuel faria com tal argumento. Como no Brasil, os paus-mandados entram bem e os mandantes escapam.

É preciso ser latina e latidamente coerente ao comentar o livro. Vou apelar para o mural grafiteiro, unindo meu bandolim ao *bandoneón* de Montalbán: com Barcelona transformada num teatro profilático que interpreta a farsa da modernidade, Carvalho, maleta aberta esperando os últimos esquecimentos, resolve que verá tudo mais claro de Buenos Aires. O que você sabe de Buenos Aires? Tangos, desaparecidos, Maradona. E ladrões, muitos ladrões. Se um milhão de argentinos não roubasse, o resto seria milionário. Corrientes, 348 antes era um tango, agora é um estacionamento. Naquela época não sabíamos que filha-da-puta a María Estela ia se revelar. E aí, o Processo de Reorganização Nacional – ou de extermínio, conduzido por capitães *rangers*, treinados na escola de marines do Panamá, onde os ianques prepararam todos os militares carniceiros da América Latina. Diz o polícia: "Quando se entra neste país tem-se que deixar os colhões na alfândega. Na saída, devolveremos". Machismo típico: o mais profundo na mulher é a roupa de baixo. A única soberania que conservamos é a dos torturadores. Um dilema: quando montarmos a Nova Internacional, onde instalar o fax? No cabaré, garotas de programa, poucas luzes, música estridente e o inevitável travesti brasileiro, que é a mais bonita de todas. O capitão torturador que não consegue se conter, igualzinho a Gabriela Sabatini. Os radicais sempre roubaram com a mão esquerda, mas os peronistas roubam com as quatro. Os palhaços são inocentes, mas há palhaçadas assassinas como a do general Galtieri. Borges nunca admitiu publicamente a paternidade para não irritar Tia Nora. "Nada me surpreende quando se trata da fecundidade dos argentinos", declara Menem. Kissinger exterminou a esquerda latino-americana para pactuar com os sobreviventes. Evita, o Karl Marx dos argentinos! O capitão torturador teve poder nos porões da ditadura e continua tendo nos da democracia. O Mercado do liberalismo é onde você pode comprar de tudo e só pode vender o que deixam. Se não sabe espanhol, traduza para uruguaio! Os turcos, os poloneses e outros alemães... Em Buenos Aires, dizem que há crise, mas não dá para achar uma empregada paraguaia. Os russos, nós chamamos os russos de judeus de Buenos Aires.

Você nunca irá embora de Buenos Aires, mesmo se for. Tango.

Toda palavra é suspeita, principalmente as da moda. Uma das piores é "imperdível" – mas, no caso de *O quinteto de Buenos Aires*, não existe outra.

Um dado pessoal que julgo relevante: li o livro no bode de uma crise de coluna. Foi o melhor remédio. Faz tempo que não me divirto tanto.

Terminado o livro, o grito de gol fica atravessado na garganta. Montalbán-Carvalho esculhambam a Argentina porque a respeitam. E o Brasil? Bom, o Brasil é aquele travesti: bonitinho, mas ordinário.

CONCISÃO

EM SEU O *QUINTETO DE BUENOS AIRES*, Manuel Vázquez Montalbán escreveu:

"– O que você sabe de Buenos Aires?
– Tangos, desaparecidos, Maradona."

No livro de Muriel Spark, *Realidade e sonhos* (Companhia das Letras), quando a filha de um diretor de cinema desaparece, surge uma possibilidade óbvia: está no Brasil, ô, ô, fazendo cirurgia plástica. Então, podemos, velas pandas, detonar a pergunta neomontalbânica:

– O que você sabe do Brasil?
– Ronaldos, cirurgias plásticas, travestis.

O samba já esteve nessa relação, antes de virar sambola. Ficou faltando só esclarecer para os gringos a confusão entre o Brasil e sua capital, a notória Buenos Aires.

A senhora Spark tem o dom de esculhambar com tudo e todos em pouquíssimo espaço. Mesmo um mestre da ironia, como Philip Roth, precisa de um parágrafo para devastar alguém. Spark faz mais estrago com três ou quatro palavras. Tom Richards, o diretor pirado, descreve a própria filha, quando indagam se a moça já fez teste para o cinema:

"– Não que eu saiba. Pelo menos não comigo. Esses olhinhos miúdos...

Sua digna esposa acrescenta:

– Eles valorizam demais os olhos... Como não conseguem produzir um roteiro decente, então compensam com olhos imensos, lacrimejantes..."

É o que chamaríamos aqui, ô, ô, de matar a cobra e matar o pau.

Ainda sobre a desaparecida, Tom comenta com a inefável esposa:

"– Quando ela se olha no espelho, o que ela vê é só uma beleza absoluta... O amor é cego."

Só na página 88, Noël Coward dá o bote em Albee, Auden assinala o antissemitismo de Agatha Christie e Tom diz para seu motorista favorito:

"– Já leu alguma coisa de Proust?... Experimente. A tradução inglesa é melhor que o original em francês..."

Diversão e grande literatura garantidas. Não é à toa que, na contracapa, Paulo Francis e Gore Vidal enchem a bola de Muriel Spark.

Ah, ia esquecendo: quando estava a fim de desviar a atenção de temas incômodos – democracia, colaboração com Hitler, carnaval baiano – Pio XII dava para Graham Greene, e outros menos votados, "terços pretos para os meninos e brancos para as meninas".

Beijo. Tchau.

HAMMETT

UMA HISTORINHA: DASHIELL HAMMETT DEU UMA DURA num negro vigarista que se fazia passar por índio. Chamou-o de grandíssimo sem-vergonha, mas passou uma grana pro 171. Sua companheira, Lillian Hellman, perguntou:
— Por que foi que você deu dinheiro a ele?
— Porque os grandíssimos sem-vergonhas também passam fome.
Esse é o cara. Dashiell Hammett, em século de celebridades efêmeras, é mesmo uma lenda. Foi ferroviário, estivador, corretor de seguros, operário de diversas fábricas, agente da Pinkerton (a agência de detetives, sempre ridicularizada quando, no cinema, caça Jesse James), publicitário, escritor de histórias policiais que viraram a mesa do gênero.
Alistou-se nas duas grandes guerras mundiais. Na última, coroa e com gravíssimos problemas pulmonares, foi mandado para uma remota base, perto do Polo Norte. Aguentou o tranco e sentiu-se feliz, naquele paraíso, por lutar, do modo que lhe permitiram, contra o nazismo. Como prêmio, a onda paranoide do anticomunismo, meteu Hammett numa prisão, por não ter dedurado outros esquerdistas, lavando privadas por cerca de cinco meses. Nosso herói, mais uma vez, segurou a barra. Uma dose por Hammett.
Continuando a lenda, teria corrigido exaustivamente as peças, tramas, diálogos, de sua destrutiva paixão, Lillian Hellman. Há quem afirme que a qualidade do texto de Lillian Hellman, depois

da morte de Hammett, nunca mais foi a mesma. Lendas? Hammett é um compêndio delas.

Tiros na noite, coletânea de contos comemorativos dos quarenta anos da morte do autor, é da Coleção Negra (Record), com tradução cuidadosa de Heloísa Seixas, Alexandre Raposo, Rafael Cardoso, Ivanir Calado, Roberto Muggiati, Marcos Santarrita, Rubem Mauro Machado e Luiz Antonio Aguiar, e com introdução correta de William F. Nolan.

Queiram ou não, Dashiell Hammett é o pai de Raymond Chandler, de Ross Macdonald, e de centenas de outros autores que tentaram segui-lo.

Chandler o chamava de "o ás dos escritores" e Macdonald disse que "saímos todos debaixo da máscara negra de Hammett". Essa máscara negra aí não é marcha-rancho do Zé Keti. Refere-se à revista Black Mask, impressa com polpa de papel de segunda categoria, que gerou o termo *pulp fiction*.

Hammett ainda escreveu, entre outras tentativas frustradas, uma ficção importante, *Tulip* (1952), que não acabou. Versava sobre um homem que já não podia mais escrever.

O crítico Graham McInnes, citado na introdução, acha que "a prosa de Hammett (...) tem a polidez e a carne de um ensaio de Bacon ou de um poema de Donne". É mole?

Dashiell Hammett é tão cult que virou romance do subestimado Joe Gores, adaptado para o cinema, dirigido por Wim Wenders. Aqui, no Brasil, o filme se chamou *Mistério em Chinatown*. Parece que, em Lisboa, o título foi:

AMARELOS CUJAS MULHERES FAZEM BILU-BILU NO
CORRIMÃO ARMAM ZARAGATA PARA O GENITOR
DE SAM SPADE

SUÉCIA, TERRA DE CONTRASTES

A SUÉCIA NÃO É MAIS AQUELA. O livro *Assassinos sem rosto*, de Henning Mankell (Companhia das Letras), assesta uma cacetada firme no mito que nós, brasileiros, criamos a partir da Copa de 1958. Sonhávamos com moças altas e loiras, extremamente caridosas, que davam à primeira piscadela de um mulato inzoneiro, cervejinhas superlampoticamente árticas, peladas (nos vários sentidos da palavra) e linhas de passe nos verdes gramados de Malmöe, batendo bola com Garrincha, Pelé, Nilton Santos, Zito, Vavá,...

No livro, o clima sueco é insuportável: vento, neve, lama e, quando o sol sai, piora! Há xenofobia, neofascistas a rodo, exploração consentida – e muito bem organizada – de mão de obra quase escrava, campos de refugiados pra SS nenhum botar defeito, drogas, corrupção, insegurança generalizada, hordas de fugitivos eslavos celebrando, com u'a mão na frente e outra atrás, a vitória do capitalismo globalizante. Até as revistinhas de sacanagem estão decadentes.

Taí, o Brasil não é tããão diferente assim da Suécia...

O policial Kurt Wallander é um perdedor na grande tradição de Marlowe, Archer, Scudder, Pepe Carvalho e outros menos votados: não se entende com os colegas, com a ex-mulher, com o pai meio doido e, principalmente, consigo mesmo. Quase perde o emprego por dirigir embriagado. Vive batendo com a cabeça em todas as quinas disponíveis. Deveria usar um daqueles capacetes vikings de chifres...

A investigação de um crime bárbaro, o trucidamento de um casal de velhos com requintes de crueldade capazes de chocar o mais experiente leitor do gênero, se arrasta livro afora. O tédio, o marasmo que se apossa da equipe de Wallander é muito bem explorado literariamente pelo autor, toques de Bergman na monótona paisagem em preto e branco. O final é surpreendente, lembrando um pouco o último Lawrence Block comentado aqui, inteligente porque banal, quase grotesco. Vale um pequeno ensaio de quem se habilitar: cresce o número de livros policiais com finais assim, perfeitamente razoáveis porque gratuitos. É natural. A barbárie está no poder. O líder da nova (des)ordem mundial, Baby Bush, é pró-poluição desenfreada, linchamento governamental de pés-rapados, venda indiscriminada de armas, proliferação de minas terrestres mutilando crianças, e ainda está solto.

Sam Spade não teria a menor chance contra um arquivilão desse calibre.

Na última página do livro, pra bom entendedor, a sombria advertência de Mankell/Wallander: "Estamos vivendo na era do laço. O medo vai crescer.".

Ainda mais?

MATAGAL NO SPA (OU VICE-VERSA...)

O LIVRO SOB A MINHA PELE, clara referência ao clássico de Cole Porter "I've got you under my skin", de Sarah Dunant, é um dos títulos da brava Coleção Negra, da editora Record.

Uma ligeira pesquisa com os amigos da Livraria da Travessa, da Siciliano e do sebo Berinjela, confirma a crescente procura por livros policias.

Sarah Dunant é inglesa, tem pedigree, mas trilha caminho diferente das mais cultuadas autoras do gênero no momento, Ruth Rendell e P. D. James, ambas consagradas, já possuidoras de castelos, títulos de nobreza etc.

P. D. James escreve policiais clássicos, lentos, e não tem que provar mais nada porque, além de vários bons livros, realizou uma senhora façanha em *Sangue Inocente*, já editado aqui pela Francisco Alves. É, sem favor algum, um dos dez mais do século.

A sra. Rendell é também competente, mas quando não está ancorada ao sóbrio inspetor Wexford, às vezes se perde em tramas neogóticas com tintas de psicopatia a la Krafft-Ebing.

Sarah Dunant pega leve, com muito humor. Nem por isso seus livros são menos interessantes. Em *Sob a minha pele*, há momentos hilariantes quando a protagonista, detetive particular Hannah Wolfe (homenagem singela ao grande, nos diversos sentidos da palavra, Nero, de Rex Stout) confunde uma terapeuta com uma prostituta, e também quando, em nome da justiça, arrisca discreta sapateada, apesar de suas convicções heterossexuais.

A trama, sabotagens bizarras num spa, seguidas do assassinato de um famoso cirurgião plástico, não é difícil de desvendar por um aficionado. Seu livro anterior na mesma coleção, *Marcas de nascença*, é melhor urdido. Mas *Sob a minha pele* cumpre seu papel. Abundam gozações sobre seios siliconados, lipoaspirações, e outras práticas discutíveis, ditadas pela vaidade exasperada.

Wolfe não dispensa um fuminho e entorna uísque, cerveja, champanhe, o que pintar. Justifica suas talagadas com o seguinte argumento: "esta é a grande vantagem do catolicismo, depois da penitência, vem mais pecado ainda".

A detetive pergunta a uma esteticista se o esfoliante químico que elimina a pele ressecada das madames foi usado também na Guerra do Golfo...

Ao constatar excesso de peso, H.W. medita: era o tipo de revelação que levaria Naomi Campbell ao suicídio, mas se ela, Wolfe e Naomi tivessem ficado nuas diante de Rubens, seria La Wolfe quem estaria exposta na National Gallery.

A simpática detetive chama, mais de uma vez, a atenção do ávido leitor para um luxuriante problema, nesses tempos tristes de raspadinhas: cultiva uma verdadeira floresta entre as pernas.

Terminado o livro, tive um sonho um tanto erótico: vestido apenas de chapéu de cortiça (Stanley estilizado), eu me embrenhava no profuso matagal até dar de cara (bom, é a expressão correta) com um róseo botão, saudado por mim, antes do primeiro ósculo:

– *Dr. Livingstone, I presume...*

CRIME E CASTIGO EM HAVANA

LI EM ALGUM LUGAR O SEGUINTE: Otto Maria Carpeaux considerava Eric Ambler, autor de *A máscara de Dimitrios*, um talento superior que optara por gênero menor (no caso, o romance de espionagem). Pode-se dizer o mesmo de John Le Carré. Se a discussão passar para livros policiais, ninguém duvidará que Raymond Chandler e Ross Macdonald – ou, agora, Manuel Vázquez Montalbán – são escritores de primeiríssimo time. José Paulo Paes preconizava a necessidade da boa literatura de entretenimento. Afinal, Kipling, Melville, Conrad e Stevenson são clássicos e divertem como pouquíssimas coisas na vida. Quantas carreiras literárias começaram com Haggard, P. C. Wrein, Sabatini ou Salgari?

Martin Cruz Smith é um escritor de primeira. Um profissional. O único defeito de seu livro anterior, o best-seller *Rose*, é ter sido elogiado por Bill Pinton.

Havana, lançamento da Record, prossegue a saga de mais um grande perdedor: o policial russo Arkady Renko, e com nova partner, uma fascinante personagem feminina, especialidade de Cruz Smith, a detetive da PNR (Policia Nacional da Revolução) Ofélia Osório.

Havana não é o melhor livro da tetralogia e o hediondo sargento Luna é um tanto caricatural. De qualquer forma, a competência de Cruz Smith não sai arranhada e sua visão não é maniqueísta: se a Cuba de Fidel é duramente criticada, Cruz Smith não esquece, ao contrário de muitos dissidentes, que o idealismo cubano enfrentou e continua enfrentando "o mais poderoso e vingativo país da Terra".

A trama é intrincada, tecida entre escândalos menos óbvios do que os dos nossos Nicolalaus, com a porrada comendo nos emergentes cafetinescos de Miami. Há também uma gostosa pitada de *santerías*, com Xangôs e Oguns caribenhos disputando a Ilha.

Só um bom escritor produziria a descrição do quarto de uma jovem *jinetera* (jóquei: montam nos vários sentidos da palavra, nos turistas sedentos de sexo com o mel dos trópicos. Resistir, quem há-de?) ou essa passagem que selecionei para os leitores quando um inglês pesadão passa de mãos dadas com uma prostituta oscilando sobre sapatos de plataforma, sem trocarem palavra:

– Cada um deles tem uma fantasia – disse Ofélia. – A dele é poder deixar sua vida ordinária e viver como um homem rico numa ilha igual a esta. A dela é que ele se apaixonará e a levará para o que ela acha que é o mundo real. É melhor que não possam se comunicar.

Quando a amante, soviética até a raiz dos cabelos, do agente russo assassinado diz "o que os cubanos não compreendem é que, embora não cantemos e dancemos tanto quanto eles, nós amamos apaixonadamente", lembramos do ator William Hurt em *Parque Górki* exclamando:

– Eu sou um russo!

Tomara que esse orgulho sobreviva. Os russos resistiram às hordas bárbaras, à Napoleão, aos nazistas, ao stalinismo. Parece que serão aniquilados por seus pretensos salvadores capitalistas. Gogol deitaria e rolaria escrevendo sobre essa pós-servidão. "Almas Tortas", por aí.

TORANDO A BORA

ALGUNS FOGUETES PARA ABRIR O ANO. Essa discussão interminável sobre as nuances da língua, hummm, pra lá e pra cá, em Ipanema e no Alentejo, é rebarbativa. Darei um exemplo que julgo tocante: em Portugal, a turma entra na bicha do talho; aqui, ainda que disfarçando, a rapaziada tá mais pra entrar no talho da bicha. Peguem o Afeganistão (no bom sentido). Lá, o negócio é Torar a Bora. Aqui, somos mais amigos de Borrar a Tora. Sutilezas culturais.

Vocês devem estar perguntando: que maluquice é essa na cabeça de uma resenha sobre o livro policial *Um drink antes da guerra*, de Dennis Lehane? Simples. O livro também tem partes que não se encaixam suavemente – clang! – no *puzzle*, feito essa mania de colocar dijêi em festival de jazz, por mais *freeway* que seja. É como se eu, em pleno exercício da crítica contundente, tascasse: em Tora Bora, conhecida como a Petrópolis afegã, os caças continuarão seu trabalho de defender a população civil, ainda que fazendo-a em pedacinhos.

Os heróis da trama são uma dupla abilolada. O cara, um chato, é apaixonado por seu próprio carro e tem problemas existenciais com o papai lá dele (glória a Stout, Chandler e McBain nas alturas por terem livrado a nossa cara dessas asneiras). Já a mocinha, em plena era pós-feminista, apanha do marido e gosta. Seu coleguinha admite que ela adora flertar com qualquer um. É uma fórmula velha: o marido pode não saber porque está batendo, mas ela sabe perfeitamente porque está apanhando. Só faltaram frases daquelas "Amar é...".

Há uma fixação em chacinas com balas perdidas pra todo lado, dezoito mortos e requejandos. Ora, a menos que estejam manipulando, pra variar, os índices, esses números não significam picas pra nós do Cone Sul, Rio Sul, Merco Sul, Narco Sul, Danrlei e Zinho. Nossa produção de presunto é de fazer o Vigário Geral mostrar a cobra na igreja da Candelária e ir pro Carandiru se rebelar, sendo contido apenas, com seus oitenta e tantos companheiros – aí, sim! – à custa de dezoito tiros de escopeta.

Qualé? Greenspan aqui a gente põe no leite, tá legal?

Greenspan, Greenspan, Greenspan, parará-ti-bum!

Esses vagabundos metidos a *marines* pensam que são muito machos, mas não encaram meus brodas nos penhascos cobertos de neve (êpa!) da Tijuca, em pleno reduto do Momo, da Maria, onde uma feijoada é capaz de fazer um fuzileiro naval da equipe olímpica passar quarenta e oito horas chorando no chuveirinho do bidê.

PERGUNTAS FEITAS NA CALADA

EM TERRA DE ESCÂNDALOS FARAÔNICOS, onde a Sudam Hussein clona Pinicolalaus em série, e lá se vão mais bilhões para as Ilhas Cayman de Sá, e zilhões pro Lichtenstein (é isso?) e trolhões nos Sem-Terra que ousam roubar um caminhão de linguiça no meio dessas brigas de cachorro grande, uma boa opção para o escritor pode ser cortar, aparar, raspar até o osso, como Ivan Lessa disse a respeito dos contos de Dalton Trevisan. Em suma: dirigir contra as limusines de nossos senadores.

Concisão é boa política. Em praia de popozudas adiposas, uma bunda magra, porém paradoxal, merece destaque, com Terra de Ninguém, Estrela do Xerife, Descansa-Queixo nos lugares queridos e o inesperado fazendo surpresa (feito na canção "Eu e a brisa" do grande Johnny Alf).

O livro *Nada mais foi dito nem perguntado*, de Luís Francisco Carvalho Filho (Editora 34), vai para o trono. Sabem aquela palavrinha maldita, imperdível? Pois é. Seu maior mérito literário está na estranheza que não mais estranhamos, mas que continua a nos assombrar; no insólito que, aqui na Burunganda, é trivial; no distanciamento neobrechtiano que esbofeteia nossas fuças; na esfriada kafkiana que incendeia nossas noites de terror e balas perdidas.

Assim, em terra de ariranha dentro dos velhos aparelhos de hemodiálise, em terra onde papa-defunto e enfermeiro combinam assassinatos de aposentados na garagem do hospital, em terra de genéricos virtuais e planos de saúde cafetinescos, uma história como "Perna" impacta porque, sendo saturada de nossa irrealidade, tem efeito antianestésico no torpor que essa mesma realidade nos impinge no dia a dia.

Eis o que li em *As Prisões da miséria*, de Loïc Wacquant, da Jorge Zahar: "...em 1992, a Polícia Militar de São Paulo matou 1.470 civis – contra 24 mortos pela polícia de Nova York e 25 pela de Los Angeles. (...) É de longe o recorde absoluto das Américas. Essa violência policial inscreve-se em uma tradição multissecular de controle dos miseráveis pela força, tradição oriunda da escravidão e dos conflitos agrários, que se viu fortalecida por duas décadas de ditadura militar, quando a luta contra a 'subversão interna' se disfarçou em repressão aos delinquentes. Ela se apoia numa concepção hierárquica e paternalista da cidadania, fundada na oposição cultural entre feras e doutores (...) Um terceiro fator complica gravemente o problema: o recorte da hierarquia de classes e da estratificação etnorracial e a discriminação baseada na cor..."

Notaram o recorde? Mais uma vez o mundo se curva.

Na orelha do livro, a escritora Marilene Felinto cravou: "Enquanto em Kafka o desfecho é, em qualquer caso, que somos fatalmente culpados e condenados à morte... na literatura de Luís Francisco Carvalho Filho – e eis aí mais um aspecto da importância histórico-literária de seu texto – estamos, a maioria de nós, brasileiros, condenados não apenas à morte fatal. A nossa condenação tem o agravante da desigualdade, da insensibilidade, da corrupção, da falta de inteligência – estamos condenados ao nada, ao silêncio aterrador da falta de possibilidade."

E mais não digo.

***

Gostaria de declarar, de público, que jamais desejei outra coisa que não o reconhecimento de ser um entre tantos letristas brasileiros. Por isso, foi muito comovente receber os livros de Dostoiévski, *O Crocodilo e Notas de inverno sobre impressões de verão* e *Memórias do subsolo*, lançados pela Editora 34, com gentis dedicatórias de Boris Schnaiderman. Foi talvez o maior prêmio de minha modesta vida profissional, tamanha a estima que sinto por esse incansável estudioso. Ainda bem que o Efortil e o Jack D. estavam ao alcance das mãos.

CEM ANOS
DE CACHORRADA

INGLESES SÃO ESNOBES. O nariz empina à proporção que a bunda cai, uma espécie de subproduto da Lei de Murphy. Um ministro daqueles fica mordendo o travesseiro com um jamaicano rasta bafejando o cangote de cisne e sai, cheio de arrogância e outros insumos básicos, doido pra legislar, ditar regras, rodar a falsa baiana moralista.

Os caras comemoraram 100 Anos de *O Cão dos Baskervilles* como se fosse uma trepadinha da minha ex-cachorra, a Flecha (depois da já histórica matéria da *Revista de Domingo* e da sunga do Siro Darlan, não mais chamarei a bichinha de cachorra, para proteger sua reputação).

No vetusto *The Times*, um tal de Marcel (hum...) chamou Sherlock Holmes de ridículo, acusou Conan Doyle de praticar, digamos, chupadas no alheio, e, muito a contragosto, reconheceu que Holmes é um símbolo "nostalgicamente atrativo". Sherlock apanhou mais que Papa Hemingway em mãos de dissidentes cubanos. Deve ser uma daquelas brigas de bicha que eles têm por lá, antes de fretarem o avião para o Scala Gay.

O texto de Marcel pelo menos ombreia (eu, hein...) Ngaio Marsh e Margery Allingham à rainha Agatha e reconhece que o maltratado, mas divertidíssimo, John Dickson Carr tornou-se o rei do "mistério-do-quarto-fechado". Menos mal, em minha modesta opinião. Jorge Luis Borges, se vivo fosse, ficaria fulo de raiva com esse cânone e contrataria Dom Isidro Parodi para estrangular duas ou três tias fanchonas. Segundo Marcel, o "PI" de Dashiell Hammett "por baixo da fachada, guardava doçura e vulnerabilidade". Ai, amor, amor, amor...

O artigo dá ainda algumas pinceladas no Reginald Wexford, de Ruth Rendell, no "sombrio" (deve ser pelos olhinhos pestanudos) Dalgliesh, de P. D. James, no inspetor Morse, de Colin Dexter, que passa no canal Bravo etc.

O texto acaba com uma mensagem de otimismo, com a qual concordo. Em minha tradução Praça Mauá: "... prognósticos pessimistas sobre o futuro da ficção criminal já foram feitos várias vezes. Em todas, o gênero achou um jeito de se reinventar. Isso acontecerá de novo".

Como escreveu o teólogo P. Rabitt, no seminal *Pérolas de sabedoria indiana*, livro muito plagiado no Brasil (coelho procria rápido, feito na piada: dá licença, obrigado; dá licença, obrigado; dá licença, obrigado; desculpe, papai; dá licença obrigado...): "É preciso ver o lado angelical da besta. *O cão dos Baskervilles* é o melhor amigo do Lobisomem".

Há entre nós, ainda, uma curiosa adaptação portuguesa, talvez do Eça, *O basset dos Robalinho*, e a instigante tradução concreto-paulistana, dos irmãos Pradaria, publicada no suplemento cultural da Folha de Camanducaiatuva, *O Mastim mastigou o mastro do mestre*.

O RISO DO POVO E AS MELHORES FAMÍLIAS

SE VOCÊ QUISER SABER PORQUE QUANTO MAIS O "HUMOR POPULAR" É MENOSPREZADO, mais ele cresce em importância, e porque Mikhail Bakhtin se agiganta com o aumento das críticas a seu clássico livro *A cultura popular na Idade Média e no Renascimento – O contexto de François Rabelais*, leia *Uma história cultural do humor*, organização de Jan Bremmer e Herman Roodenburg (Record).

Sobre Bakhtin fica a impressão de que alguns estudiosos não perdoam sua inteligência – e humildade – ao reconhecer que o núcleo da cultura do riso, o carnaval, "não é forma puramente artística de espetáculo... Ele se situa na fronteira entre a arte a vida". Ao longo do livro, por mais que tentem demonstrar o contrário, a frase de Bakhtin mostra-se cada vez mais verdadeira. O volume conta com colaboradores ilustres, como o historiador medievalista Jacques Le Goff e o estudioso da cultura popular Peter Burke.

Lemos várias considerações interessantes sobre o *scurra*, cômico profissional do fim da Antiguidade e da Idade Média; sobre os bobos da corte; sobre a evolução do *parasitós*, literalmente "alguém que come à mesa de outro", um funcionário religioso dos povoados áticos, se tornando, por razões obscuras, numa espécie de sinônimo do *kólax*, o adulador profissional. O termo *homolochos* quer dizer "aquele que arma cilada em altares" e, não, como algum incauto possa supor, bicha soprando berrante em baile gay. Aos poucos, o verbo *homolocheuo* passou a significar "bancar o bufão" ou "entregar-se à obscenidade". Cresce também nossa admiração pela Antiguidade ao constatarmos que alguns dos principais alvos das piadas eram os médicos, os videntes e os astrólogos.

Clemente de Alexandria escreveu um livro, o *Paedagogus*, para jovens cristãos de classe alta, com uma seção especial sobre o problema do riso. Segundo Clemente, seria antinatural suprimir o riso, mas o cristão deve demonstrar moderação. Sintam agora o Clemente enrustido no armário: "um sorriso seria suficiente para o cristão, enquanto as mulheres e os rapazes deveriam ter muito cuidado para não rir". Sabe-se que em Alexandria existiam muitos entendidos no assunto. A ideia aristotélica do riso espirituoso (contido) foi retomada por Tomás de Aquino e por Pascal.

Sobre o riso romano, Fritz Graf conta uma situação que conhecemos bem: a brincadeira era permitida entre os membros da classe alta, mas não podia estender-se para a classe popular porque piadas dentro de um grupo de nobres funcionam como instrumento de coesão, mas piadas de fora ameaçam o status. Claro. Lá, como cá. Imaginem o contínuo da CBF contando pro Ricardo Teixeira a última sobre Van Luxembenga...

O russo Aaron Gurevich reconhece que os documentos sobre cultura popular são sempre transformados e reinterpretados por representantes das camadas sociais cultas, que tentam decifrar, cantaríamos nós, "o que não tem sentido nem nunca terá, o que não tem juízo".

Lê-se, ainda, com prazer sobre a *beffa* italiana, sobre as compilações de anedotas e piadas que geraram clássicos como o *Decamerão*, de Boccaccio.

Teresa de Ávila escreveu que o riso a ajudou a compreender o seu próprio sofrimento (*me rió y conozco mi miseria*).

Uma das histórias mais saborosas é a de *Sir* Charles Sedley, que se despiu no balcão de um restaurante num antigo mercado de

Londres, perante mil pessoas, tendo depois executado vários gestos obscenos, abusado das *Escrituras* e rezado um escatológico Sermão do Charlatão. Tal fato aconteceu em 1 de julho de 1663 e *Sir* Charles foi multado em 500 libras. Adivinhem, em 23 de outubro de 1668, quem estava correndo pelas ruas, para cima e para baixo, com o traseiro nu, lutando com a guarda e sendo preso? O nosso *Sir* Charles Sedley. O mais engraçado é que o rei tomou o partido do bêbado nudista e acusou o guarda.

Grandes escritores clássicos, como Shakespeare, Cervantes, Swift, Sterne e Pope foram influenciados por coleções de piadas que os bem-pensantes fingiam desprezar.

Há muito mais. O creme do livro está no final, quando o antropólogo Henk Driessen conta algumas mancadas sobre o trabalho de campo, descritas pelo cientista britânico (e, pelo visto, também humorista...) Nigel Barley. Um dia, uma simples mudança de tom transformou a partícula interrogativa na palavra mais lasciva do dialeto nativo, fazendo com que Mister Barley saudasse os guerreiros Dowayos da seguinte forma ritual:

– O céu está claro para você, ô Boceta?

Acontece nas melhores famílias...

MENINOS, EU VI

VI, SIM. ORA SE VI. Eu não sou o Piu-Piu e não vi um gatinho. Eu vi a luz. Calma. Não estou delirando, tenho bebido moderadamente e também não ando queimando baseados colombianos. Eu vi a *Luz das cordas*, CD de Marco Pereira e Hamilton de Holanda, um dos mais importantes trabalhos instrumentais brasileiros nos últimos cinquenta anos.

Tivemos durante o ano 2000 muitas *manitas del plata* querendo aparecer: George Benson, John Pizzarelli, Robert Cray... Mas na hora da luz, o jogo ficou todo a favor de Marco Pereira e Hamilton de Holanda. O pessoal foi saindo de fininho, ofuscado.

Fiz um teste interessante, aqui em casa. Deixava as pessoas conversando no escritório e botava, na maciota, *Luz das cordas*. Teve de tudo: amigo chorando feito criança, moça entrando em transe catatônico, o diabo. Podem conferir.

Eu vi as extraordinárias caixas de CDs de Noel Rosa, Dorival Caymmi e do SESC São Paulo.

Eu vi, *O quinteto de Buenos Aires*, de Manuel Vázquez Montalbán, reduzindo o ego maradônico dos argentinos a extrato de pó de pum da pulga do cavalo do bandido. Depois desse livro, especialmente pelos capítulos "A guerra das Malvinas" e O filho natural de Jorge Luis Borges", aqueles tangueiros nunca mais serão os mesmos.

Eu vi *Os leopardos de Kafka*, de Moacyr Scliar, na mesma coleção de *Borges e os orangotangos eternos*, de Luis Fernando Verissimo.

A crítica pode – e deve – falar o que bem entender, mas os dois livros são excelentes.

Eu vi, de Alberto Manguel, autor de *Uma história da leitura* e de *Stevenson sobre as palmeiras*, o delicado *No bosque do espelho*.

Vi, arrepiado de horror, *Autópsia do medo – vida e morte do delegado Sergio Paranhos Fleury*, do grande repórter Percival de Souza, onde aparece logo no começo, já aprontando, o Nicolalau.

Vi a Coleção Negra, da Record, completando com *White jazz*, o Quarteto de Los Angeles, de James Ellroy.

Vi a caverna do Saramago e os crocodilos do Lobo Antunes, como o Binho, cada vez melhores, perseguidos pela paixão de Pepetela.

Vi e revi Paulo Mendes Campos. Vi Fausto Wolff, que deve estar escrevendo vinte e quatro horas por dia. Vi *Pai morto, vivo*, de Ricardo Gontijo e *O Espelho de Egon*, de Horácio Soares.

Bebi na *Ipanema* do Jaguar e dancei com os *Atabaques, violas e bambus*, do Paulo César Pinheiro.

E andei tendo umas lições sobre *Do Amor ausente*, do jovem e talentoso escritor Paulo Roberto Pires. Será parente do outro, que já bebeu várias vezes aqui no cafofo?!

BONUS TRACK: TRÊS VEZES KADARÉ

O ESPELHO DA ESFINGE

Na resenha "História de pescador (e de peixe)", para *O linguado*, de Günter Grass, John Updike escreveu: "Há muito que se admirar em *O linguado*. É um livro ambicioso e inventivo". E daí em diante o pau comeu solto.

 A pirâmide, de Ismail Kadaré (Companhia das Letras), é um livro interessante. Pessoalmente, prefiro as obras em que o autor albanês mistura seus dons de ficcionista a bem medidas porções antropológicas, como em *Dossiê H* e no esplêndido *Abril despedaçado*.

 Em *A pirâmide*, Kadaré preferiu exercitar nova parábola como instrumento de denúncia contra o totalitarismo stalinista. Acompanhamos a angústia do faraó Queóps enquanto sua maior realização progride, aproximando-o mais e mais da morte.

 A proverbial solidão dos tiranos é radiografada de saída: os membros da camarilha parecem, aos olhos severos do soberano, "desfigurados pela bajulação", e suscitam a pergunta: "como há de ser quando eu envelhecer e me tornar mais implacável?".

 O início dos trabalhos, com pedras trazidas, em longas viagens, de Assuan ou de Hatnub, até de Elefantina, ou mesmo de mais longe, Dogole e Jebel Barkal, perto da quinta catarata, onde se suspeitava ficarem as portas do inferno, é também a abertura de um catálogo de acidentes, atrocidades, amputações, esmagamentos, uns sobre os outros, como pedras. Aos poucos, o leitor vai ficando exausto. Dirão alguns que o objetivo foi atingido: a construção arbitrária e incoerente do tirano, escorada por sua principal aliada, a burocracia corrupta, levando ao esgotamento. Pode ser. Mas não me consta que *A náusea*, de Sartre, tenha aumentado o consumo de Plasil.

Kadaré tenta argamassar o caos do totalitarismo com pontes satíricas. Não há nada de mal em atirar palavras na cara do Monolito – ainda mais depois de transferir a trincheira para Paris. A denúncia, um tanto desbotada pela velocidade da História atual, ainda funciona, embora, como observou debochadamente Joseph Brodsky no ensaio *Sobre a tirania*, hoje "o indivíduo morre não tanto pela espada quanto pelo pênis".

Não acho que procedam as frequentes comparações entre Kadaré e Kafka. Harold Bloom escreveu em *O cânone ocidental*: "De uma perspectiva puramente literária, esta é a era de Kafka, mais até que a era de Freud. Este, espertamente seguindo Shakespeare, deu-nos nosso mapa da mente; Kafka sugeriu-nos que não podemos usá-lo para salvarmos, nem de nós mesmos". O já citado Updike considerava que o humor de Kafka é cósmico. Eu acrescentaria que o humor em Kafka é essência. Em Kadaré, é consequência da monstruosidade política. Afastamos os véus da metáfora e lá está a Albânia, Enver Hoxha, o PC do B... Já em Kafka, um pesadelo engendra outro ainda pior. Kafka é trágico. Kadaré, para lembrar um texto de Roberto Calasso, *O terror das fábulas*, renunciou a Homero sem conseguir chegar a Platão. Espero que Kadaré (K) não acorde um dia transformado em, digamos, besouro...

A fragilidade do livro aparece no "Epílogo vítreo". Aí, a imaginação do leitor é violada. O autor revela que a construção da pirâmide "léxica" visava uma comparação com os bunkers albaneses, outras tantas pequenas pirâmides que mostram "o passado andando para trás como um caranguejo".

Chateado com esse desvelamento, o leitor despe o traje e o sonho de Indiana Jones no Templo dos Intelectuais e vira, prosaicamente, um turista japonês de câmera ao pescoço. O salto artificial para o presente parece múmia pulando antes do *The end* num *Sexta-Feira 13* desses aí.

Ao explodir a ambivalência de seus simulacros, Kadaré usou faca de dois gumes. Pode ter sido uma sadia negação da onipotência – mas empurrou o leitor de volta à estaca zero. A maior parte das alegorias dura menos que os restos petrificados: sérvios e albaneses continuam se apunhalando sob a sombra gigantesca.

INTERROMPIDO OU DESPEDAÇADO?

Inicialmente, algumas considerações geográficas: o que seria da Albânia se não fosse o Amazonas?

Um albanês, falando francamente, ou bota o Kosovo de Colombo – um assombro, sassaricando – e vai para a Cidade Luz ser entrevistado por meu particular amigo Hugo Suckman, ou fica naquele horror o resto da vida, levando e dando tiro em sérvio. Nunca saberemos se quem leu *Abril despedaçado* caiu no primeiro de abril. A edição pioneira de *Prilli i thyer*, lançada no Brasil pela Companhia das Letras, foi traduzida de forma elegante do francês por Maria Lucia Machado e é de 1991. Agora, o livro de Ismail Kadaré é relançado entre nós, pela mesma editora, com o título *Abril interrompido*, em tradução de Bernardo Joffily, diretamente do albanês.

Abril, despedaçado ou interrompido, é um ótimo livro. Justifica a máxima do Tolstói, que ninguém aguenta mais, sobre descrever a aldeia para tornar-se universal. Eu prefiro o Kadaré de *Abril* e *Dossiê H* do que o autor de alegorias como *A pirâmide*.

Num universo de homens, o livro tem na única figura feminina sua melhor criação: Diana, mulher do mauricinho Bessian Vorps. Ela é desenhada por Kadaré com bico de pena e tem (quase) tudo que é paradoxal – e belíssimo – nas mulheres: sua capacidade de entender e revoltar-se se choca o tempo todo com os próprios instintos, sexuais inclusive, que lutam por possuí-la, e é nesse permanente conflito entre razão e sensibilidade ancestral que a fêmea cresce sem parar, inspirando o profundo temor que nós, homens, sentimos diante dela.

No final do livro, Kadaré quebra – ou interrompe – o ritmo da narrativa. Ele "esfria" o processo (lembrem-se que, em seus delírios, I. K. pensa que é Kafka...). Meio que desconstrói – gostaram? – a trama. Mesmo assim, *Abril*, um mês sabidamente cruel, resiste em pedaços de boa literatura.

Os livros de Kadaré são escritos sob a sombra de Stalin, chamado por alguns carinhosamente de Bigodudo, como se fosse o Bienvenido Granda da Cortina de Ferro. Felizmente, com o advento de FHC I e II, não somos mais tão bobos. Olhamos assassinos mentecaptos nos olhos e sabemos, pela nova política cultural do Ministério da Educação, que Cárpatos são aqueles bichinhos que moram no ar-condicionado e que, uma vez instalados nas vias aéreas, provocam tumulto na contabilidade da Vasp, para não falar da resistência deles ao Neocid, caso desçam, como horda bárbara, à floresta púbica.

Cotejei a presente tradução com o original albanês, que roubei de um convescote na mansão de membro assediante do CC do PC do B, o Dr. Abdular Ycaghar Reghra. Não concordo que a expressão "guga pristina sarita montiel" signifique "fechar acordo pragmático com clínica de aborteiros".

Mas não devemos nos deixar levar pelo sectarismo. O carismático líder albanês sempre será lembrado pelo cântico dos cânticos das chacretes (todos juntos):

– Hodja, hodja, hodja e avisa: um minuto pro comercial! Alô alô Terezinha...

A vanguarda paulista pretende carnavalizar o livro na montagem "Abril P-36". O papel de "Limpeza étnica" será estrelado por Celso Pitta, que também conhece as entranhas de Paris.

***

Aldir Blanc sai mancando como Byron no Grêmio Recreativo Neoortodoxos de Tirana.

DOSSIÊ K

A Albânia é um país pródigo em muslins e muftis – aqueles floquinhos que a garotada cabeça põe no iogurte. Havia também grandes mulahs, mas o povo comeu a última na semana passada, junto com os cachorros amestrados e os anões do Gran Circo Hodja. A população de lá vive em pânico. Depois da faxineira Milosevic, é possível que um míssil americano, ligeiramente desviado do alvo original, a cidade de Kandahar, no Afê (como diz a garotada cabeça), acabe com a Al-bânia. Ela é pequenininha.

A Al-bânia vegeta de regime em regime, como os velhos boêmios viviam de cigarro em cigarro. O mais severo deles foi o neo--para-semi-ultra comunismo conservador-reformista de Enver Hodja – uma espécie de dieta com suco de jiló geladinho, só que sem jiló (e a Frigidaire de 1950 pifou).

O último remanescente do finado regime al-banês está lotado no Conselho de Medicina do Rio, mas não foi encontrado por nossa reportagem. Parece que houve uma ligeira confusão durante assédio sexual no almoxarifado.

Bom, mãos à obra. *Dossiê H*, do franco (*Vive la France!*) albanês Ismail Kadaré é um grande livro. Minha primeira edição, também lançada pela Companhia das Letras, é de 1990, tradução de Hildegard Feist. A tradução atual é de Bernardo Joffily. Deve ter havido algum problema com essa língua indomável.

Eu já escrevi, aqui mesmo, que o Kadaré sempre acerta quando conta coisas a respeito de seu país, superando o complexo de Kafka que, periodicamente, o assalta, levando-o a construir pirâmides, castelos, minaretes, enquanto se metamorfoseia (êpa!) em barata que tomou com um processo e/ou chinelo totalitários no lombo.

Em *Dossiê H,* dois estudiosos irlandeses, fascinados pela Questão Homérica, partem atrás dos lendários rapsodos das montanhas albanesas. Querem descobrir se a "verdadeira oficina da epopeia" ainda funciona. Kadaré, com mão de mestre, desvia o foco de seus heróis acadêmicos e ilumina a mediocridade provinciana da cidade escolhida como ponto de partida. O destaque é o bovarismo balcânico e galináceo da digníssima esposa do subprefeito, uma – como direi mudernamente? – ah, cachorra emergente – que se chamava Mukadez, mas que, sob os efeitos nefastos do *laissez-faire* californiano, resolveu trocar seu nomezinho um tanto clone para o satânico e sonoro Daisy.

O grotesco dos nativos – comerciantes "do ramo do sabão", delatores, puxa-sacos, bandidos atolados, eremitas entre o fanatismo e a vigarice, religiosos aproveitadores, paranoicos profissionais – é atenuado pelo contraponto das anotações de Willy Norton. Através dele, Kadaré medita sobre Homero, tradição, poesia oral, esquecimento. De leve, entre a ironia e o lirismo.

O último capítulo é um achado, ao contrário da solução pós--qualquer-coisa-aí de *A pirâmide*. Pedreira e topada andam juntas.

E a Bovary dos Bálcãs, acaba no Irajá, ralando para tornar-se socialite à frente de um próspero negócio que fornece quentinhas para manicômios e presídios? Não, não. Sobre ela, uma gracinha, Kadaré se debruça, tira os pesados óculos de intelectual no exílio, passa rímel e blush, e dá uma piscadela faceira pras leitoras.

Tive que me conter para não botar na materinha o título sensacionalista-marrom:
O ENIGMA DE KADARÉ: ISMAIL OU DAISY?